향기, 일상에 특별함을 더하다

길미경

향기, 일상에 특별함을 더하다

발행	|	2024년 3월 30일
저자	|	김미경
디자인	|	어비, 미드저니
편집	|	어비
펴낸이	|	송태민
펴낸곳	|	열린 인공지능
등록	|	2023.03.09(제2023-16호)
주소	|	서울특별시 영등포구 영등포로 112
전화	|	(0505)044-0088
이메일	|	book@uhbee.net

ISBN | 979-11-93116-48-7

www.OpenAIBooks.shop

향기, 일상에 특별함을 더하다

김미경

목차

머리말

향기는 우리를 둘러싸고 있는 일상의 소중한 부분입니다.

꽃의 향기가 우리를 기쁘게 하고, 바닷바람의 향기가 우리를 상쾌하게 하며, 커피의 향기가 우리를 편안하게 합니다.

향기는 우리의 감정과 기억, 생각을 자극하며, 일상에 특별한 간섭을 더해줍니다.

나는 향기나는 제품을 선물하는 것을 좋아합니다.

기억하려 애쓰지 않아도 향기를 맡는 순간 이미 나에게 받았다는 기억한다는 너무 매력적이거든요

향기는 그 사람의 마음을 담아 전달할 수 있는 특별한 선물입니다. 사랑하는 사람에게 주는 향기 나는 꽃다발은 그 사람의 사랑을 전달하는 메시지가 됩니다. 친구에게 주는 향기 나는 화장품은 그 사람의 마음을 생각하는 마음이 담긴 선물입니다.

향기는 우리의 몸과 마음에 다양한 영향을 미칩니다. 라벤더 오일은 긴장을 풀어주고, 페퍼민트 오일은 집중력을 향상시킵니다. 유칼립투스 오일은 콧속을 뚫어주고, 로즈마리 오일은 기억력을 향상시킵니다.

업무로 지친 피로한 날 라벤더 오일은 나에게 사랑스럽고 평화로운 휴식을 도와줍니다. 편두통이 거슬리는 날 페퍼민트 오일

은 나에게 활기를 줍니다.

평범한 일상에서도 향기가 더해지면 특별해지는 순간이 많습니다. 샤워 후 은은하게 퍼지는 바디워시 향기는 나를 기분 좋게 합니다. 침대에서 잠들기 전 켜놓은 향초는 나를 편안하게 잠들게 합니다.

내가 향기를 좋아하는 가장 큰 이유는, 향기가 일상에 특별함을 더해준다는 점입니다. 향기가 있는 곳이면, 그곳이 바로 나만의 특별한 공간이 됩니다.

향기를 통해 일상을 더욱 풍요롭게 만들고 싶은 분들께 이 책을 추천합니다.

<본 도서는 (https://wrtn.ai)에서 글쓰기를 했으며 그림은 Midjourney에서 그렸습니다. 전체 디렉팅은 송태민이 진행했으며, 이민환이 AI에게 일을 시켰습니다.>

저자 소개

직접 향기나는 캔들을 만들어 선물하고 싶은 마음에 소이캔들 자격증을 취득했던 것이 향기와의 만남 첫 시작이었다.

어느 날, 재능기부를 하게 되면서 강의를 통해 사람들에게 향기로 행복을 전달할 수 있다는 매력에 빠져들었다. 그렇게 캔들을 시작으로 천연비누 천연화장품, 아르마테라피, 조향 등으로 영역을 확장하여 공방을 운영하게 된다.

향기에 대한 열정으로 화장품 회사 연구부에 스카우트된다. 지역의 이미지를 담은 향기 나는 천연비누를 개발하고, '향기를 입다'는 컨셉으로 입욕제 브랜드를 런칭하며, 향기가 우리 삶을 더욱 풍요롭게 만드는 데 기여하고자 했다.

향기와 관련된 연구와 개발을 통해 향기에 대한 전문성을 더욱 깊이 쌓은 김미경, 지금은 향기로 소통하는 강의에 열중하고 있다. 향기가 우리 삶에 미치는 다양한 영향을 알리고, 누구나 쉽게 향기를 즐길 수 있도록 도와주며, 향기 전문가로서의 길을 걷고 있다.

01
향기 이야기

1.1 향기의 역사와 문화

인류는 오랫동안 향기를 사용해 왔습니다. 향기는 신과 소통하는 방법으로 사용되기도 했고, 질병을 예방하고 치료하는 데 사용되기도 했으며, 단순히 즐거움을 위해 사용되기도 했습니다.

고대 이집트

향기의 역사는 고대 이집트로 거슬러 올라갑니다. 고대 이집트인들은 향기를 신과 소통하는 방법으로 사용했습니다. 그들은 향기를 피라미드와 무덤에 사용하여 죽은 자들이 저승에서 행복하게 지내도록 했습니다. 또한, 고대 이집트인들은 향기를 질병을 예방하고 치료하는 데 사용했습니다. 그들은 향유를 몸에 바르거나, 향기를 흡입하여 감기, 두통, 통증 등을 완화했습니다.

고대 이집트의 대표적인 향료로는 몰약, 유향, 장미, 라벤더 등이 있습니다. 몰약과 유향은 신성한 향료로 여겨져, 종교 의식에 사용되었습니다. 장미와 라벤더는 향기와 효능이 뛰어나, 개인의 용품이나 음식에 사용되었습니다.

고대 이집트에는 향료를 만드는 전문 기술자들이 있었습니다. 그들은 다양한 향료를 혼합하여 새로운 향기를 만들고, 향료를 고체화하거나 액상화하는 기술을 개발했습니다.

고대 그리스

고대 그리스인들은 향기를 신과 소통하는 방법으로 사용했습니다. 그들은 향기를 제사와 기념식에 사용했습니다. 또한, 고대 그리스인들은 향기를 단순히 즐거움을 위해 사용했습니다. 그들은 향수를 몸에 바르고, 향기를 피우며, 향수를 사용하여 음식을 준비했습니다.

고대 그리스에는 향수를 만드는 전문 기술자들이 있었습니다. 그들은 다양한 향료를 혼합하여 새로운 향수를 만들고, 향수를 만드는 기계도 개발했습니다.

고대 로마

고대 로마인들은 향기를 신과 소통하는 방법으로 사용했습니다. 그들은 향기를 제사와 기념식에 사용했습니다. 또한, 고대 로마인들은 향기를 단순히 즐거움을 위해 사용했습니다. 그들은 향수를 몸에 바르고, 향기를 피우며, 향수를 사용하여 음식을 준비했습니다.

고대 로마에는 향수를 만드는 전문 기술자들이 있었습니다. 그들은 다양한 향료를 혼합하여 새로운 향수를 만들고, 향수를 만드는 기계도 개발했습니다.

중세 유럽

중세 유럽에서는 향기가 질병을 예방하고 치료하는 데 사용되었습니다. 그들은 향수를 몸에 바르거나, 향기를 흡입하여 감기, 두통, 통증 등을 완화했습니다. 또한, 중세 유럽에서는 향기가 귀족과 부유층의 전유물로 여겨졌습니다.

중세 유럽에서는 향료를 만드는 전문 기술자들이 있었습니다. 그들은 다양한 향료를 혼합하여 새로운 향수를 만들고, 향수를 만드는 기계도 개발했습니다.

근대

근대에는 향수가 대중화되기 시작했습니다. 향수는 더 이상 귀족과 부유층의 전유물이 아니라, 누구나 사용할 수 있는 것이 되었습니다. 또한, 향수는 단순히 향을 즐기는 것뿐만 아니라, 자신의 개성과 취향을 표현하는 수단으로 사용되기 시작했습니다.

19세기에는 향수를 만드는 새로운 기술이 개발되었습니다. 그 중 하나는 알코올을 사용하여 향수를 만드는 기술입니다. 이 기술은 향수를 오래 보관할 수 있게 하여, 향수의 대중화를 촉진했습니다.

현대

현대에는 향기가 다양한 분야에서 사용되고 있습니다. 향기는 화장품, 세면용품, 생활용품 등에 사용되고 있으며, 아로마테라피, 펫테라피 등 다양한 치료법에도 사용되고 있습니다.

현대에는 향기를 사용하는 다양한 방법이 개발되었습니다. 예를 들어, 아로마 디퓨저를 사용하여 향기를 방에 퍼뜨리거나, 향수 샤워젤을 사용하여 향긋한 샤워를 즐길 수 있습니다.

1.2 향기의 정의와 인지과정

향기의 정의

향기는 특정한 냄새를 갖는 물질로서, 우리의 후각 감각을 자극하는 화학적으로 휘발성인 성분으로 구성된 것입니다.

향기는 주로 꽃, 과일, 나무, 허브, 향신료 등 다양한 자연물에서 추출되거나 합성됩니다.

향기는 향료로부터 나온 냄새로, 천연향료와 합성향료로 구분됩니다.

천연향료는 식물에서 추출되는 자연물로, 주로 아로마에센셜오일이라고 불립니다.

식물의 꽃, 잎, 줄기, 나무의 줄기나 뿌리, 과일 껍질 등 다양한 부분에서 추출됩니다.

천연향료는 자연 그대로의 향기를 가지고 있어 향수, 화장품, 캔들 등에 사용됩니다.

합성향료는 인공적으로 만들어진 화학 물질로, 주로 프레그런스 오일이라고 불립니다.

합성향료는 인공적인 방법으로 다양한 화학물질을 조합하여 만들어집니다.

합성향료는 다양한 향기를 생성하고 안정성을 높일 수 있어 향수, 화장품, 세제 등에 사용됩니다.

향기는 우리의 일상 생활에서 다양한 분야에 사용되며, 우리가 향기를 경험하고 즐길 수 있도록 도와줍니다.

예를 들어, 꽃 향기의 향수를 사용하면 상쾌하고 고요한 분위기를 조성할 수 있고, 허브 향기의 캔들을 사용하면 휴식과 안정을 느낄 수 있습니다.

향기의 인지과정

인간의 후각 시스템은 우리의 생존과 안전에 매우 중요한 역할을 합니다.

향기를 통해 우리는 다양한 정보를 인지하고, 기억하며, 상황을 판단할 수 있습니다.

후각은 우리에게 여러 가지 특징과 기능을 제공하는데, 이를 자세히 알아보도록 하겠습니다.

1. 향기와 기억: 향기는 우리에게 강력한 기억과 연관되어 있습

니다.

아기가 태어나자마자 모유를 찾고 엄마에 대한 기억을 하는 것은 후각의 역할 중 하나입니다.

이는 본능적인 반응으로, 아기가 생존과 안전을 위해 필요한 영양을 공급받을 수 있도록 돕습니다.

또한, 향기를 통해 과거의 기억이 연상되는 경우도 많습니다.

특정한 향기가 어떤 사건이나 장소와 연관되어 있을 때, 그 향기를 맡으면 과거의 기억이 떠오르는 현상이 발생할 수 있습니다.

2. 후각의 특징: 후각은 다른 감각과는 다른 특징을 가지고 있습니다.

특이성: 후각은 다양한 향기를 구별하고 식별할 수 있습니다. 수용체의 다양성과 연결되어, 우리는 수많은 향기를 인지할 수 있습니다.

연결성: 후각은 뇌와 밀접한 연결을 가지고 있습니다. 후각 세포에서 생성된 신호는 후두신경을 통해 뇌로 전달되어 후각 관련 영역에서 처리됩니다.

감각적 기억: 향기는 다른 감각과는 달리 감각적인 기억과 강한 연관이 있습니다. 향기를 맡으면 과거의 기억이 떠오르거나 특정한 감정을 불러일으킬 수 있습니다.

3. 향기에 대한 인지 과정: 향기의 인지 과정은 다양한 단계로 이루어집니다.

향기의 탐지: 향기가 우리 주변에 퍼지면, 후각 세포는 해당 향기를 탐지하기 위해 수용체와 상호작용합니다.

향기의 신호 변환: 후각 세포에서 향기 분자와 수용체의 상호작용으로 생성된 신호는 화학적인 반응을 통해 전기 신호로 변환됩니다.

향기의 신경 전달: 전기 신호는 후각 세포를 통해 신경 섬유로 전달되고, 후두신경을 통해 뇌로 전달됩니다.

향기의 인지: 뇌의 후각 관련 영역에서는 향기를 인지하고 해석합니다. 피라미드체와 편도체 등의 영역에서 향기에 대한 정보를 처리하고, 그 결과로 우리는 향기를 구별하고 식별할 수 있습니다.

이렇게 인간의 후각 시스템은 향기를 통해 생존과 안전에 관련된 정보를 전달하고, 기억과 연결되며, 다양한 특징을 가지고 있습니다.

향기의 인지 과정은 후각 세포의 수용체와 향기 분자의 상호작용을 통해 신호가 생성되고, 이를 뇌에서 인지함으로써 우리는 향기를 경험하고 구별할 수 있습니다.

1.3 향기와 기억의 연결

향기는 우리의 일상에서 무척 중요한 역할을 합니다.

그 중에서도 향기와 기억은 놀라울 정도로 깊은 연관성을 가지고 있는데, 이는 뇌의 구조와 기능에 근거한 것입니다.

향기는 해마, 즉 뇌의 기억을 저장하고 관리하는 부위와 직접 연결되어 있습니다.

이로 인해 특정 향기를 맡았을 때 그와 관련된 기억이나 감정을 떠올리게 됩니다. 이것이 바로 '향기-기억 연상 효과'입니다.

여기에 더해, '푸르스트 효과'라는 것을 알고 계신가요?

이는 새로운 정보나 경험을 처음으로 접했을 때 그것이 더욱 강하게 기억에 남는 현상을 말합니다.

이것 또한 향기와 깊은 연관이 있습니다.

첫 사랑과 함께 사용했던 향수의 향, 여행지에서 처음 맡아본 특별한 향, 새로운 직장에서 처음 맡은 커피 향 등은 나중에 그 향을 다시 맡았을 때 강하게 그때의 기억을 떠올리게 만듭니다.

그럼 이제 향기와 기억의 연결을 활용한 '향기 마케팅'에 대해 살펴보겠습니다.

기업들은 이 향기-기억 연상 효과와 푸르스트 효과를 잘 활용하여 소비자의 구매 결정을 유도하려고 합니다.

스타벅스가 좋은 예입니다. 스타벅스는 매장에서 특유의 커피 향을 풍겨 소비자들에게 편안한 분위기를 제공하고, 브랜드에 대한 긍정적인 인상을 심어주려고 합니다.

이런 향기를 맡을 때마다 소비자들은 스타벅스에서 느꼈던 편안함과 즐거움을 기억하게 됩니다.

또 다른 예로는 패션 브랜드 '아베크롬비 & 핏치'가 있습니다. 이 브랜드는 매장 전체에 브랜드 특유의 향기를 뿌려 소비자들이 그 향기를 맡을 때마다 브랜드를 기억하게 만듭니다.

이는 소비자가 나중에 그 향기를 맡았을 때 브랜드에 대한 긍정적인 이미지와 기억을 자아내는 효과를 가집니다.

이처럼 향기는 우리의 기억과 감정에 큰 영향을 미치는 강력한 요소입니다.

이를 이해하고 활용하면, 향기는 우리의 일상에서 특별한 역할을 하게 됩니다.

향수를 통해 과거의 추억을 되살리거나, 향기를 통해 기분을 조절하거나, 심지어는 향기를 통해 스트레스를 완화하는 것도 가능합니다.

이처럼 향기의 힘을 활용하여 우리의 삶을 더 풍요롭게 만들어 보세요.

02
향기로 치유하다

2.1 아로마테라피와 아로마에센셜오일

아로마테라피

아로마테라피는 향, 향기의 의미를 가진 'aroma'와 요법, 치료의 의미를 가진 'therapy'의 합성어로 방향요법, 향기요법을 의미합니다.

아로마테라피는 약리효과가 있는 식물의 특정부위에서 추출해낸 에센셜오일(essential oil, 정유)을 후각이나 피부를 통해 인체에 흡수시켜 인체의 정신과 육체의 질병을 예방하고 치료하며 건강의 유지, 증진시키는 대체의학의 한 분야로 자리잡고 있습니다.

식물에서 추출한 아로마는 합상한 약물과는 달리 장기적으로 사용하여도 부작용이나 내성이 생기지 않아 인체에 무리를 주지 않으며, 정신적, 육체적 스트레스를 해소하고, 건강을 유지하는 데 도움을 줍니다.

아로마에센셜오일의 정의

아로마 에센셜 오일은 식물의 꽃, 잎, 줄기, 뿌리, 껍질 등에서 추출한 순수한 향기 성분을 말합니다.

이 단어는 라틴어에서 유래한 'essentia'라는 단어와 영어 'oil'이 합쳐진 말로, 'essentia'는 '본질'이라는 뜻을 가집니다.

따라서 에센셜 오일이란 식물의 '본질'을 담고 있는 오일이라는 뜻이 됩니다.

에센셜 오일은 식물의 특정 부분에서 스팀 증류, 압착, 냉간 압착, 수증기 증류, 솔벤트 추출 등의 방법으로 추출됩니다.

이렇게 얻어진 오일은 식물의 향기뿐만 아니라 그 식물이 가진 특성과 치유 효능을 모두 담고 있습니다.

아로마테라피에서 사용되는 이 에센셜 오일은 향기를 통해 신체와 마음에 영향을 미치는데, 이는 오일이 뇌의 향기 수용체를 통해 직접 뇌에 영향을 주기 때문입니다.

이렇게 해마와 같은 뇌의 기억 관련 부위에 직접 작용하여 기분, 감정, 기억 등에 영향을 미칩니다.

아로마 에센셜 오일은 그 자체로 사용되기도 하며, 다른 오일과 섞어 사용되기도 합니다. 다만, 순수 에센셜 오일은 매우 강력하므로 피부에 직접 바르거나 복용하는 것은 권장되지 않습니다.

반드시 적절한 용량과 사용법을 지켜야 하며, 가능하다면 전문가의 지도를 받아 사용하는 것이 안전합니다.

추출부위별 에센셜 오일의 종류

추출 부위	에센셜 오일
꽃	라벤더 오일, 로즈마리 오일, 카모마일 오일, 장미 오일, 네롤리 오일, 재스민 오일, 일랑일랑 오일
잎과 줄기	페퍼민트 오일, 레몬그라스 오일, 티트리 오일, 바질 오일, 패출리 오일, 민트 오일
과일 껍질	오렌지 오일, 레몬 오일, 그레이프프루트 오일, 베르가모트 오일
나무	산톨 오일, 시더우드 오일, 사이프러스 오일, 핀 오일
수지	프랑킨센스 오일, 마이어 오일
뿌리	진저 오일, 베티버 오일
씨앗	참깨 오일, 카라웨이 오일, 아니스 오일

아로마에센셜오일의 추출법

1. 증류법: 이 방법은 가장 일반적으로 사용되는 방법입니다. 증류법은 식물의 잎, 꽃, 줄기, 껍질 등을 끓는 물이나 스팀에 노출시켜 에센셜 오일을 추출하는 방식입니다. 이때 생성된 스팀은 에센셜 오일을 함유하게 되며, 이 스팀을 식히면 물과 오일이 분리됩니다. 그 후에 오일을 수집하여 병에 담습니다. 이 방법은 라벤더, 로즈마리, 페퍼민트 등의 오일을 추출할 때 주로 사용됩니다.

2. 압착법: 이 방법은 주로 과일류에서 에센셜 오일을 추출할 때 사용됩니다. 과일의 껍질을 기계로 강하게 압착하면 오일이 나오게 되는데, 이를 '압착법'이라 합니다. 이 방법은 오렌지, 레몬, 라임, 그레이프프루트와 같은 시트러스 계열의 오일을 추출할 때 주로 사용됩니다.

3. 냉간 압착법: 냉간 압착법은 열을 거의 사용하지 않고 압력만으로 오일을 추출하는 방법입니다. 이 방법은 특히 열에 약한 에센셜 오일을 추출할 때 사용되며, 오일의 품질을 보존하는 데 효과적입니다.

4. 솔벤트 추출법: 이 방법은 솔벤트를 사용하여 식물에서 에센셜 오일을 추출하는 방식입니다. 이 방법은 에센셜 오일이 적은 꽃에서 오일을 추출할 때 주로 사용됩니다. 솔벤트로는 에탄올이나 헥산 같은 화학 물질이 사용되며, 이를 통해 솔벤트

가 에센셜 오일과 함께 증발하게 되면, 남은 물질은 '콘크리트' 라고 합니다. 콘크리트에서 알코올을 제거하면 '아브솔루트'가 남게 됩니다.

이 외에도 초임계 유체 추출법이라는 고급 기술이 사용되기도 하는데, 이는 고온 고압 상태에서 이산화탄소를 사용하여 에센셜 오일을 추출하는 방법입니다. 이 방법은 특히 카페인이나 에센셜 오일 등을 추출할 때 사용됩니다.

각 추출법은 사용하는 식물의 종류나 원하는 오일의 특성에 따라 선택되며, 추출 과정에서는 식물의 성분이 손상되지 않도록 주의해야 합니다.

아로마에센셜오일의 안전수칙

1. 희석 사용: 에센셜 오일은 순수한 형태로 매우 강렬하므로, 대부분의 경우 기저 오일(예: 아몬드 오일, 코코넛 오일 등)로 희석하여 사용합니다. 특히 피부에 바를 때는 반드시 희석하여 야 합니다.

2. 피부 테스트: 에센셜 오일을 처음 사용할 때는 알레르기 반

응을 피하기 위해 작은 부위에서 테스트를 해야 합니다. 희석된 오일을 팔의 안쪽 부분에 바르고 24시간 동안 반응을 지켜봅니다.

3. 눈과 점막 피하기: 에센셜 오일은 눈이나 점막에 절대로 닿지 않도록 주의해야 합니다. 만약 오일이 눈에 들어갔다면 즉시 물로 충분히 씻어내야 합니다.

4. 내부 섭취 주의: 일부 에센셜 오일은 섭취가 가능하기 하지만, 전문가의 지시 없이는 내부 섭취를 하지 않아야 합니다. 일부 오일은 독성을 가지고 있을 수 있습니다.

5. 어린이와 애완동물로부터 멀리하기: 어린이나 애완동물이 에센셜 오일을 섭취하거나 피부에 바르지 않도록 주의해야 합니다. 특히 고양이는 에센셜 오일을 처리하는 능력이 제한적이므로, 에센셜 오일을 사용할 때는 고양이를 멀리 해야 합니다.

6. 임신과 수유 기간: 임신 중이거나 수유 중일 때는 일부 에센셜 오일을 사용하는 것이 안전하지 않을 수 있습니다. 사용하기 전에 반드시 전문가의 조언을 받아야 합니다.

7. 보관: 에센셜 오일은 직사광선과 높은 온도를 피해야 합니다. 또한, 어린이나 애완동물의 손이 닿지 않는 곳에 보관해야 합니다.

아로마에센셜오일의 보관

아로마 에센셜 오일의 보존과 관리는 그 효능을 최대한 유지하고 안전하게 사용하기 위해 중요합니다.

다음과 같은 방법으로 에센셜 오일을 보존하고 관리하는 것이 좋습니다.

1. 직사광선 피하기: 에센셜 오일은 빛에 노출되면 품질이 떨어질 수 있습니다. 따라서 어두운 곳에 보관해야 합니다.

2. 온도 관리: 에센셜 오일은 고온에 노출되면 품질이 떨어질 수 있으므로, 서늘한 곳에 보관하는 것이 좋습니다.

3. 유리병 사용: 에센셜 오일은 플라스틱을 부식시킬 수 있으므로, 갈색이나 청색의 차광 유리병에 보관해야 합니다.

4. 뚜껑 철저히 닫기: 에센셜 오일은 쉽게 증발할 수 있으므로 사용 후에는 뚜껑을 꼭 닫아야 합니다.

5. 사용 기한 확인: 대부분의 에센셜 오일은 제조일로부터 1~2년이 지나면 품질이 떨어질 수 있습니다.

그러므로 오일을 구매할 때 제조일자를 확인하고, 사용 기한이 지난 오일은 사용하지 않는 것이 좋습니다.

6. 블렌딩 후 사용 기한: 캐리어 오일에 에센셜 오일을 블렌딩한 경우에는 1~2개월 이내에 사용하는 것이 좋습니다.

에센셜 오일끼리 블렌딩한 경우에는 6개월 이내에 사용해야 합니다.

7. 용기 크기: 사용하는 에센셜 오일의 양에 맞는 용기를 사용해야 합니다.

오일이 용기에 차지 않는 경우 공기와의 접촉이 많아져 품질이 빠르게 저하될 수 있습니다.

8. 화기 주의: 에센셜 오일은 인화성이 있으므로 화기 근처에서는 주의해야 합니다.

이와 같은 방법으로 에센셜 오일을 적절하게 보관하고 관리하면, 그 효능을 오래 동안 누릴 수 있습니다.

에센셜 오일 사고 시 응급처치

에센셜 오일은 강력한 물질이므로 사고 시 적절한 응급처치가 필요합니다. 다음은 에센셜 오일 사고 시 응급처치 요령입니다.

1. 피부에 직접적인 접촉: 에센셜 오일이 피부에 직접적으로 접촉했을 때는 피부를 깨끗이 씻어내야 합니다.

물과 비누로 여러 번 부드럽게 씻은 후, 피부가 건조해지지 않도록 보습제를 바릅니다.

만약 피부가 붉어지거나 붓는 등의 반응이 나타나면 의사의 도움을 청해야 합니다.

2. 눈에 들어갔을 때: 에센셜 오일이 눈에 들어갔을 때는 즉시 물로 충분히 씻어내야 합니다.

물로 잘 씻어내고도 불편함이 계속될 경우 즉시 의사의 도움을 청해야 합니다.

3. 섭취한 경우: 에센셜 오일을 섭취한 경우, 즉시 의사에게 연락하거나 독극물 통제 센터에 연락해야 합니다.

절대로 토하게 하려고 시도하지 말아야 합니다.

4. 피부에서 알러지 반응: 피부에서 알러지 반응이 나타날 경우, 즉시 사용을 중단하고 피부를 깨끗이 씻어내야 합니다.

그 후에도 증상이 지속될 경우 의사의 도움을 청해야 합니다.

이외에도 에센셜 오일 사용 시 항상 안전을 위해 희석하여 사용하고, 사용 전에 피부 패치 테스트를 하며, 어린이와 애완동물의 손이 닿지 않는 곳에 보관하는 등의 주의사항을 지켜야 합니다.

2.2 인기 있는
아로마오일 종류와 특징

라벤더 (Lavandula angustifolia)
| Middle to top note

추출방법: 수증기 증류법

분포 원산지; 지중해 지역 기원으로, 현재는 남부 프랑스, 이탈리아, 스페인 등에서 주로 재배되고 있습니다.

역사적 사용사례: 고대 이집트 시대부터 향료, 향수, 보관용 봉투 등으로 널리 사용되었습니다. 로마 시대에는 목욕용 허브로, 중세에는 페스트 방지용 향료로 사용되었습니다. 또한, 전통적으로 상처 치유와 수면 개선을 위해 사용되었습니다.

주요 특징: 라벤더 오일은 그의 고요하고 부드러운 향기로 잘 알려져 있습니다. 피부를 진정시키고, 수면 향상, 스트레스 해소 등에 효과적입니다. 또한, 항균, 항염, 진정 효과 등을 가지고 있어 상처 치유에도 도움이 됩니다.

주의사항: 일반적으로 라벤더 오일은 안전하게 사용할 수 있지만, 피부에 직접적으로 사용하기 전에는 반드시 희석해야 합니다. 또한, 알레르기 반응이나 피부 자극이 나타날 경우 사용을 중단하고 의사와 상담해야 합니다. 임신 중이거나 기타 건강 문제가 있는 경우에는 전문가와 상의한 후 사용해야 합니다.

티트리 (Melaleuca alternifolia)
| Middle to top note

추출방법: 수증기 증류법

분포 원산지: 오스트레일리아의 특정 지역, 특히 뉴사우스웨일스 주와 퀸즈랜드 주에서 자생하며, 현재는 이 지역에서 주로 재배되고 있습니다.

역사적 사용사례: 티트리 오일은 오스트레일리아 원주민인 아보리지니들이 수천 년 동안 다양한 피부 문제를 치료하는 데 사용하였습니다. 또한, 제2차 세계 대전 시에는 군용 키트에 포함되어 상처 치료제로 사용되었습니다.

주요 특징: 티트리 오일은 강력한 항균, 항진균, 항바이러스 효과를 가지고 있어 피부 문제 해결에 효과적입니다. 피부염, 여드름, 두드러기 등의 피부 문제 완화와 상처 치유, 감기 증상 완화에도 사용됩니다.

주의사항: 티트리 오일은 강력한 오일이므로 피부에 직접적으로 사용하기 전에는 반드시 희석해야 합니다. 또한, 알레르기 반응이나 피부 자극이 나타날 경우 사용을 중단하고 의사와 상담해야 합니다. 티트리 오일은 내부 섭취하면 독성을 가질 수 있으므로 절대로 섭취해서는 안 됩니다. 임신 중이거나 기타 건강 문제가 있는 경우에는 전문가와 상의한 후 사용해야 합니다.

제라늄 (Pelargonium graveolens) | Middle note

추출방법: 수증기 증류법

분포 원산지: 제라늄은 원래 남아프리카 지역에 분포하였으며 현재는 이집트, 모로코, 프랑스 등에서 재배되고 있습니다.

역사적 사용사례: 제라늄은 고대 이집트에서 아름다움과 피부 건강을 위해 사용되었습니다. 또한, 그 항세포독성과 항미생물 특성으로 인해 전통적인 약학에서도 사용되었습니다.

주요 특징: 제라늄 오일은 그의 로즈와 유사한 향기로 사랑받으며, 피부를 진정시키고 촉촉하게 유지하는 데 도움을 줍니다. 또한 불안, 우울증, 피로 완화 등의 정신적인 효과도 가지고 있습니다.

주의사항: 제라늄 오일은 일반적으로 안전하게 사용할 수 있지만, 피부에 직접적으로 사용하기 전에는 반드시 희석해야 합니다. 또한, 알레르기 반응이나 피부 자극이 나타날 경우 사용을 중단하고 의사와 상담해야 합니다. 임신 중이거나 기타 건강 문제가 있는 경우에는 전문가와 상의한 후 사용해야 합니다.

캐모마일 저먼 (Matricaria chamomilla) | Middle to top note

추출방법: 수증기 증류법

분포 원산지: 캐모마일은 원래 유럽에서 분포하였으며, 현재는 동유럽, 러시아, 아시아 등에서 재배되고 있습니다.

역사적 사용사례: 캐모마일은 고대 이집트, 로마, 그리스에서 의학적 목적으로 사용되었습니다. 특히, 그들은 캐모마일의 진정, 항염, 해독 효과를 활용하였습니다.

주요 특징: 캐모마일 저먼 오일은 그의 부드럽고 달콤한 향기로 사랑받으며, 피부를 진정시키고 피부염을 완화하는 데 도움을 줍니다. 또한, 스트레스 완화, 수면 향상, 위장 건강 개선 등에도 효과적입니다.

주의사항: 캐모마일 저먼 오일은 일반적으로 안전하게 사용할 수 있지만, 피부에 직접적으로 사용하기 전에는 반드시 희석해야 합니다. 또한, 알레르기 반응이나 피부 자극이 나타날 경우 사용을 중단하고 의사와 상담해야 합니다. 임신 중이거나 기타 건강 문제가 있는 경우에는 전문가와 상의한 후 사용해야 합니다.

캐모마일 로만 (Anthemis nobilis)
| Middle to top note

추출방법: 수증기 증류법

분포 원산지: 캐모마일 로만은 원래 서유럽과 북아프리카에 분포하였으며, 현재는 영국, 벨기에, 프랑스 등에서 재배되고 있습니다.

역사적 사용시례: 캐모바일 로만은 고대 로마에서 향수, 코스메틱, 약용으로 널리 사용되었습니다. 또한, 전통적인 약학에서는 소화 개선, 진정, 수면 향상 등의 목적으로 사용되었습니다.

주요 특징: 캐모마일 로만 오일은 그의 부드럽고 달콤한 향기로 사랑받으며, 피부를 진정시키고 피부염을 완화하는 데 도움을 줍니다. 또한, 스트레스 완화, 수면 향상, 위장 건강 개선 등에도 효과적입니다.

주의사항: 캐모마일 로만 오일은 일반적으로 안전하게 사용할 수 있지만, 피부에 직접적으로 사용하기 전에는 반드시 희석해야 합니다. 또한, 알레르기 반응이나 피부 자극이 나타날 경우 사용을 중단하고 의사와 상담해야 합니다. 임신 중이거나 기타 건강 문제가 있는 경우에는 전문가와 상의한 후 사용해야 합니다.

클라리세이지 (Salvia sclarea)
| Middle note

추출방법: 수증기 증류법

분포 원산지: 남유럽과 서아시아 지역에서 자생하며, 현재는 프랑스, 이탈리아, 영국 등에서 재배되고 있습니다.

역사적 사용사례: 클라리세이지 오일은 고대 이집트에서 향수로 사용되었으며, 중세 시대에는 피부 문제 치료와 눈을 밝게 하는 데에 사용되었습니다. 전통적인 약학에서는 소화 개선, 진정, 수면 향상 등의 목적으로도 사용되었습니다.

주요 특징: 클라리세이지 오일은 달콤하고 허브향이 특징으로, 스트레스 완화와 수면 향상에 도움을 주는 효과가 있습니다. 또한, 피부 건강을 개선하고 여성의 생리 불편을 완화하는 데에도 효과적입니다.

주의사항: 클라리세이지 오일은 일반적으로 안전하지만, 피부에 직접 사용하기 전에는 반드시 희석해야 합니다. 민감한 피부를 가진 사람들은 피부 반응을 조심해야 합니다. 또한, 알레르기 반응이나 피부 자극이 나타날 경우 사용을 중단하고 의사와 상담해야 합니다. 임신 중이거나 기타 건강 문제가 있는 경우에는 전문가와 상담 후 사용해야 합니다. 또한, 클라리세이지 오일은 알코올을 함께 섭취한 후에는 사용하지 않아야 합니다.

마조람 (Origanum majorana)
| Middle note

추출방법: 수증기 증류법

분포 원산지: 북아프리카와 서아시아에 분포하였으며, 현재는 지중해 지역, 특히 이집트, 터키, 그리스에서 주로 재배되고 있습니다.

역사적 사용사례: 고대 그리스와 로마에서, 마조람은 사랑과 행복의 상징으로 여겨졌으며, 다양한 의식과 행사에서 사용되었습니다. 또한, 전통적인 약학에서는 소화 개선, 진정, 수면 향상 등의 목적으로 사용되었습니다.

주요 특징: 마조람 오일은 그의 따뜻하고 향신료 같은 향기로 사랑받으며, 스트레스 완화, 통증 완화, 감기 증상 완화 등에 효과적입니다. 또한, 이완 효과가 있어 근육 통증이나 경직을 완화하는 데도 사용됩니다.

주의사항: 마조람 오일은 일반적으로 안전하게 사용할 수 있지만, 피부에 직접적으로 사용하기 전에는 반드시 희석해야 합니다. 또한, 알레르기 반응이나 피부 자극이 나타날 경우 사용을 중단하고 의사와 상담해야 합니다. 임신 중이거나 기타 건강 문제가 있는 경우에는 전문가와 상의한 후 사용해야 합니다.

버가못 오일 (Citrus bergamia) | Top note

추출방법: 수증기 증류법, 압착법

분포 원산지: 동아시아에서 자생하였으며, 현재는 이탈리아의 칼라브리아 지역, 프랑스, 아이보리코스트 등에서 주로 재배되고 있습니다.

역사적 사용사례: 전통적으로 피부 문제를 치료하기 위해 사용되었으며, 그 뿐만 아니라 소화를 돕고 발열을 줄이는 데도 사용되었습니다. 또한 향수 제조에서 주요한 성분으로 사용되어 왔습니다.

주요 특징: 버가못 오일은 그의 신선하고 과일 같은 향기로 사랑받으며, 스트레스와 불안을 완화하고 기분을 좋게 하는 데 효과적입니다. 유니크한 향기 때문에 다양한 아로마 오일과 잘 어울립니다. 특히, 라벤더, 로즈마리, 클라리세이지, 자스민, 유칼립투스와 잘 어울립니다. 버가못 오일은 그의 상큼한 향과 과일 같은 향기 때문에 향수 제조에서 주요한 성분으로 사용되어 왔습니다. 특히, 유명한 향수인 샤넬 No.5에도 사용된 성분입니다.

주의사항: 버가못 오일은 피부에 직접적으로 사용하기 전에는 반드시 희석해야 합니다. 또한, 햇빛에 노출된 후에는 사용하지 않아야 합니다.

스윗 오렌지 (Citrus sinensis) |Top note

추출방법: 차가운 압착법

분포 원산지: 중국과 동남아시아에 분포하였으며, 현재는 브라질, 미국 (플로리다, 캘리포니아), 중국, 인도 등에서 주로 재배되고 있습니다.

역사적 사용사례: 스윗 오렌지 오일은 고대 중국과 인도에서 의학석으로 사용되었으며, 신체와 마음을 진정시키고 기분을 좋게 하는데 사용되었습니다.

주요 특징: 스윗 오렌지 오일은 그의 상큼하고 달콤한 향 때문에 향수 제조에서 주요한 성분으로 사용되어 왔습니다. 특히, 프루티 플로럴 계열의 향수에 자주 사용됩니다. 스트레스와 불안을 완화하고 기분을 좋게 하는 데 효과적입니다. 또한, 피부의 독소를 빠르게 제거해 건조하고 주름진 피부와 피부염 개선에 도움을 줍니다.

주의사항: 스윗 오렌지 오일은 광감작용이 있을 수 있으므로 피부에 오일을 바른 후 햇빛에 노출되는 것을 피해야 합니다. 햇빛과 오렌지 오일의 조합은 피부에 약간의 홍조나 피부 반응을 일으킬 수 있습니다.

그레이프프루트 (Citrus paradisi) |Top note

추출방법: 차가운 압착법

분포 원산지: 카리브해의 바베이도스에서 발견되었으며, 현재는 미국 (특히 플로리다, 캘리포니아), 이스라엘, 브라질 등에서 주로 재배되고 있습니다.

역사적 사용사례: 그레이프프루트 오일은 전통적으로 체중 감량, 피부 문제, 스트레스 완화 등에 사용되었습니다. 또한, 그레이프프루트 자체는 다이어트 및 건강에 좋은 과일로 알려져 있습니다.

주요 특징: 그레이프프루트 오일은 그의 상큼하고 달콤한 향기로 사랑받으며, 기분을 상쾌하게 하고 에너지를 증가시키는 데 효과적입니다. 또한, 수렴 작용으로 지성, 복합성, 여드름 피부의 피지와 불순물 제거, 기름진 모발과 피지 조절에 도움을 줍니다.

주의사항: 그레이프프루트 오일은 일반적으로 안전하게 사용할 수 있지만, 피부에 직접적으로 사용하기 전에는 반드시 희석해야 합니다.

레몬 (Citrus limon) | Top note

추출방법: 차가운 압착법

분포 원산지: 아시아에서 발견되었으며, 현재는 전 세계의 온난한 지역에서 재배되고 있습니다. 특히 미국 (특히 캘리포니아, 플로리다), 이탈리아, 아르헨티나, 스페인 등에서 대량으로 생산되고 있습니다.

역사식 사봉사례: 고대 이집트에서 레몬은 보존제, 미용제, 그리고 의학적 목적으로 사용되었습니다. 또한, 18세기 항해사들은 레몬을 활용해 해양에서의 괴혈병을 예방하였습니다.

주요 특징: 레몬 오일은 그의 상큼하고 청량한 향기로 사랑받으며, 기분을 상쾌하게 하고 집중력을 향상시키는 데 효과적입니다. 또한, 청소제나 방향제로도 자주 사용되며, 피부를 청결하게 유지하는 데 도움을 줍니다.

주의사항: 레몬 오일은 피부에 직접적으로 사용하기 전에는 반드시 희석해야 합니다. 또한, 햇빛에 노출된 후에는 사용하지 않아야 합니다. 어린이와 임산부는 전문가의 조언을 받은 후에 사용해야 합니다. 피부가 민감한 사람들은 피부 반응을 확인한 후 사용해야 합니다.

레몬그라스 (Cymbopogon citratus) | Middle note

추출방법: 수증기 증류법

분포 원산지: 인도, 말레이시아, 스리랑카 등의 아시아 지역에서 자생하였으며, 현재는 아시아, 아프리카, 호주 등의 열대 및 아열대 지역에서 재배되고 있습니다.

역사적 사용사례: 레몬그라스는 전통적으로 아무로, 방향제, 그리고 의학적 목적으로 사용되었습니다. 특히 인도의 아유르베다 의학에서는 레몬그라스를 발열을 줄이고 소화를 돕는 데 사용하였습니다.

주요 특징: 레몬그라스 오일은 그의 상큼하고 레몬 같은 향기로 사랑받으며, 스트레스와 불안을 완화하고 기분을 상쾌하게 하는 데 효과적입니다. 또한, 피를 맑게 해주고 신경 피로에 효과적이며 피루를 탄력 있게 해주고 지성 피부의 노폐물 제거에 도움을 줍니다.

주의사항: 레몬그라스 오일은 피부에 직접적으로 사용하기 전에는 반드시 희석해야 합니다. 피부가 민감한 사람들은 피부 반응을 확인한 후 사용해야 합니다. 또한, 임산부와 어린이는 전문가의 조언을 받은 후에 사용해야 합니다. 레몬그라스 오일은 절대 섭취하면 안 되며, 눈과 점막에 접촉을 피해야 합니다.

사이프러스 (Cupressus sempervirens) | Middle note

추출방법: 수증기 증류법

분포 원산지: 동부 지중해 지역에서 발견되었으며, 현재는 전 세계의 온난한 지역에서 재배되고 있습니다. 특히 프랑스, 스페인, 이탈리아 등에서 주로 생산됩니다.

역사적 사용사례: 고대 그리스와 로마에서 사이프러스는 의학적, 종교적 목적으로 사용되었습니다. 또한, 그들의 장례식에서는 영원한 생명을 상징하는 나무로 사용되었습니다.

주요 특징: 신선하고 통나무 같은 향기로 사랑받으며, 불안과 스트레스를 완화하고 기분을 안정시키는 데 효과적입니다. 또한, 순환계 향상과 피지 조절, 노화관리에 도움을 줍니다.

주의사항: 사이프러스 오일은 일반적으로 안전하게 사용할 수 있지만, 피부에 직접적으로 사용하기 전에는 반드시 희석해야 합니다. 또한, 임산부와 어린이는 전문가의 조언을 받은 후 사용해야 합니다. 피부가 민감한 사람들은 피부 반응을 확인한 후 사용해야 합니다. 사이프러스 오일은 내부 섭취하면 안 되며, 눈과 점막에 접촉을 피해야 합니다.

유칼립투스 (Eucalyptus globulus) | Top note

추출방법: 수증기 증류법

분포 원산지: 오스트레일리아와 타스마니아에서 발견되었으며, 현재는 전 세계의 온난한 지역에서 재배되고 있습니다. 특히 오스트레일리아, 스페인, 포르투갈, 브라질, 중국 등에서 주로 생산됩니다.

역사적 사용사례: 원주민들은 오랫동안 유칼립투스를 상처 치료, 염증 완화, 호흡기 질환 치료 등에 사용하였습니다. 또한, 19세기에 유칼립투스 오일이 항세균제로서의 효과를 인정받게 되면서 각종 의학적 용도로 널리 사용되기 시작하였습니다.

주요 특징: 유칼립투스 오일은 그의 강한 상쾌하고 분명한 향기로 인해 기분을 상쾌하게 하고 집중력을 향상시키는 데 효과적입니다. 또한, 호흡기 질환 완화와 면역 체계 강화에 도움을 줍니다.

주의사항: 유칼립투스 오일은 피부에 직접적으로 사용하기 전에는 반드시 희석해야 합니다. 또한, 임산부와 어린이는 전문가의 조언을 받은 후에 사용해야 합니다. 피부가 민감한 사람들은 피부 반응을 확인한 후 사용해야 합니다. 유칼립투스 오일은 내부 섭취하면 안 되며, 눈과 점막에 접촉을 피해야 합니다.

로즈마리 (Rosmarinus officinalis) | Middle note

추출방법: 수증기 증류법

분포 원산지: 지중해 지역에서 발견되었으며, 현재는 전 세계의 온난한 지역에서 재배되고 있습니다. 특히 프랑스, 스페인, 튀니지 등에서 주로 생산됩니다.

역사적 사용사례: 로즈마리는 고대 그리스, 로마, 이집트에서 의학, 종교, 요리 등 다양한 목적으로 사용되었습니다. 특히 기억력을 향상시키는 데 도움이 된다고 믿어져 왔습니다.

주요 특징: 로즈마리 오일은 그의 신선하고 허브 같은 향기로 인해 기분을 상쾌하게 하고 집중력을 향상시키는 데 효과적입니다. 또한, 순환계 향상과 손상된 모발에 도움을 줍니다.

주의사항: 로즈마리 오일은 일반적으로 안전하게 사용할 수 있지만, 피부에 직접적으로 사용하기 전에는 반드시 희석해야 합니다. 또한, 임산부와 고혈압, 간질 환자는 전문가의 조언을 받은 후에 사용해야 합니다. 피부가 민감한 사람들은 피부 반응을 확인한 후 사용해야 합니다. 로즈마리 오일은 내부 섭취하면 안 되며, 눈과 점막에 접촉을 피해야 합니다.

페퍼민트 (Mentha piperita) / Top note

추출방법: 수증기 증류법

분포 원산지: 유럽에서 발견되었으며, 현재는 전 세계에서 재배되고 있습니다. 특히 미국, 인도, 중국 등에서 주로 생산됩니다.

역사적 사용사례: 고대 이집트, 그리스, 로마에서 페퍼민트는 소화를 돕는 데 사용되었습니다. 또한, 중세 유럽에서는 페퍼민트를 이빨 백작용제와 입안 청결제로 사용하였습니다.

주요 특징: 페퍼민트 오일은 그의 강한 상쾌하고 마린트 같은 향기로 인해 기분을 상쾌하게 하고 집중력을 향상시키는 데 효과적입니다. 또한, 두통 완화, 피부 상태 개선, 소화 개선에도 도움을 줍니다.

주의사항: 페퍼민트 오일은 피부에 직접적으로 사용하기 전에는 반드시 희석해야 합니다. 또한, 임산부와 어린이, 피부가 민감한 사람들은 전문가의 조언을 받은 후에 사용해야 합니다. 페퍼민트 오일은 내부 섭취하면 안 되며, 눈과 점막에 접촉을 피해야 합니다.

일랑일랑 (Cananga odorata)
| Middle to Base note

추출방법: 수증기 증류법

분포 원산지: 인도네시아와 필리핀에서 발견되었으며, 현재는 전 세계의 열대 지역에서 재배되고 있습니다. 특히 인도네시아, 마다가스카르, 피지에서 주로 생산됩니다.

역사적 사용사례: 일랑일랑은 전통적으로 아로마테라피, 향수, 방향제 등으로 사용되었습니다. 또한, 동남아에서는 그의 진정 효과와 피부 치료 효과를 활용하여 다양한 피부 질환 치료에 사용되었습니다.

주요 특징: 일랑일랑 오일은 그의 강한 달콤하고 꽃 같은 향기로 인해 스트레스와 불안을 완화하는 데 효과적입니다. 특히 정서적인 균형을 회복하는 데 도움을 주며, 우울증과 불안을 줄이는 데 도움을 줍니다. 또한, 지성, 여드름 피부에 도움을 줍니다.

주의사항: 일랑일랑 오일은 피부에 직접적으로 사용하기 전에는 반드시 희석해야 합니다. 과용하면 구토감을 느낄 수 있습니다. 또한, 임신부와 어린이, 피부가 민감한 사람들은 전문가의 조언을 받은 후에 사용해야 합니다. 일랑일랑 오일은 내부 섭취하면 안 되며, 눈과 점막에 접촉을 피해야 합니다.

로즈 오일 (Rosa damascena)
| Middle to Base note

추출방법: 증류법, 솔벤트 추출법

분포 원산지: 중동에서 발견되었으며, 현재는 전 세계에서 재배되고 있습니다. 특히 불가리아, 터키, 이란, 프랑스에서 주로 생산됩니다.

역사적 사용사례: 로즈 오일은 고대 이집트, 그리스, 로마에서 향수, 화장품, 의학적 용도로 사용되었습니다. 특히 여성의 피부관리와 기분 조절에 탁월한 효과를 보였습니다.

주요 특징: 로즈 오일은 그의 따뜻하고 깊은 향기로 인해 스트레스와 불안을 완화하고, 기분을 개선하는 데 효과적입니다. 정서적인 균형을 회복하는 데 도움을 주며, 우울증과 불안을 줄이는 데 도움을 줍니다. 또한, 모든 피부에 효과적이고 특히 민감하고 건조한 노화 피부의 혈액순환을 도와 탄력과 생기를 부여하고 모세혈관 기능을 강화해 수렴효과와 피부 발적이나 염증치료에 도움을 줍니다.

주의사항: 무독성, 무자극으로 특별한 주의는 필요 없으나 내부섭취하면 안 되며, 눈과 점막에 접촉을 피해야 합니다.

프랑킨센스 (Boswellia carterii)
| Base note

추출방법: 수증기 증류법

분포 원산지: 중동과 북아프리카에서 발견되었으며, 현재는 소말리아, 에티오피아, 수단 등에서 주로 생산됩니다.

역사적 사용사례: 프랑킨센스는 고대 이집트, 그리스, 로마에서 향료, 향수, 종교적인 의식 등에서 사용되었습니다. 또한, 전통적인 아유르베다와 중국 의학에서는 다양한 질병의 치료에 사용되었습니다.

주요 특징: 프랑킨센스 오일은 그의 따뜻하고 스파이시한 향기로 인해 스트레스와 불안을 완화하고, 정서적 균형을 회복하는데 효과적입니다. 또한, 건조하고 주름이 많은 노화 피부에 효과가 있어 피부에 생기를 더하고 재생 작용에 도움을 줍니다. 면역 체계 강화와 염증 완화에도 효과적입니다.

주의사항: 프랑킨센스 오일은 피부에 직접적으로 사용하기 전에는 반드시 희석해야 합니다. 또한, 임산부와 어린이, 피부가 민감한 사람들은 전문가의 조언을 받은 후에 사용해야 합니다. 프랑킨센스 오일은 내부 섭취하면 안 되며, 눈과 점막에 접촉을 피해야 합니다.

자스민 (Jasminum officinale) | Base note

추출방법: 솔벤트 추출법

분포 원산지: 자스민은 원래 중동과 아시아에서 발견되었으며, 현재는 전 세계에서 재배되고 있습니다. 특히 인도, 이집트, 중국에서 주로 생산됩니다.

역사적 사용사례: 자스민 오일은 고대 중동, 인도, 중국에서 향료, 향수, 의학적 용도로 사용되었습니다. 특히 여성의 피부 관리와 기분 조절에 탁월한 효과를 보였습니다.

주요 특징: 자스민 오일은 그의 따뜻하고 풍성한 꽃향기로 인해 스트레스와 불안을 완화하고, 기분을 개선하는 데 효과적입니다. 이는 조향에 있어서 중요한 역할을 하며, 많은 향수와 아로마테라피 제품에서 키 노트로 사용됩니다. 또한, 피부의 염증을 완화하고 피지를 조절하는데 도움을 줍니다.

주의사항: 자스민 오일은 피부에 직접적으로 사용하기 전에는 반드시 희석해야 합니다. 또한, 임산부는 자스민 오일 사용을 피하는 것을 추천합니다. 자스민 오일은 내부 섭취하면 안 되며, 눈과 점막에 접촉을 피해야 합니다.

샌달우드 (Santalum album) | Base note

추출방법: 수증기 증류법

분포 원산지: 샌달우드는 원래 인도에서 발견되었으며, 현재는 인도, 호주, 인도네시아에서 주로 생산됩니다.

역사적 사용사례: 샌달우드는 고대 인도에서 향료, 향수, 종교적인 의식 등에서 사용되었습니다. 또한, 아유르베다와 중국 의학에서 다양한 질병의 치료에 사용되었습니다.

주요 특징: 샌달우드 오일은 그의 따뜻하고 스위트한 나무 향기로 인해 스트레스와 불안을 완화하고, 정서적 균형을 회복하는 데 효과적입니다. 이는 조향에 있어서 중요한 역할을 하며, 많은 향수와 아로마테라피 제품에서 키 노트로 사용됩니다. 또한, 여드름, 상처, 염증, 건성과 지성 피부에 도움을 줍니다.

주의사항: 샌달우드 오일은 피부에 직접적으로 사용하기 전에는 반드시 희석해야 합니다. 샌달우드 오일은 내부 섭취하면 안 되며, 눈과 점막에 접촉을 피해야 합니다. 단독으로 사용했을 때 우울감 완화 보다는 더 침잠할 수 있으므로 반드시 블렌딩해서 사용해야 합니다.

미르 (Commiphora myrrha) | Base note

추출방법: 수증기 증류법

분포 원산지: 미르는 원래 북아프리카와 중동에서 발견되었으며, 현재는 소말리아, 에티오피아, 수단 등에서 주로 생산됩니다.

역사적 사용사례: 미르는 고대 이집트, 그리스, 로마에서 향료, 향수, 종교적인 의식 등에서 사용되었습니다. 또한, 전통적인 아유르베다와 중국 의학에서는 다양한 질병의 치료에 사용되었습니다.

주요 특징: 미르 오일은 그의 따뜻하고 스파이시한 향기로 인해 스트레스와 불안을 완화하고, 정서적 균형을 회복하는 데 효과적입니다. 이는 조향에 있어서 중요한 역할을 하며, 많은 향수와 아로마테라피 제품에서 키 노트로 사용됩니다. 또한, 피부를 진정시키고, 피부의 건조함을 개선하며, 피부의 탄력을 증가시키는 데 도움을 줍니다. 노화 피부, 치유가 더딘 상처나 진물나는 습진, 무좀에도 유용합니다.

주의사항: 일반적인 에센셜 오일과는 달리 점성이 있음

패츌리 (Pogostemon cablin) | Base note

추출방법: 수증기 증류법

분포 원산지: 패츌리는 원래 동남아시아에서 발견되었으며, 현재는 인도네시아, 필리핀, 중국, 인도에서 주로 생산됩니다.

역사적 사용사례: 패츌리는 고대 아시아에서 향료, 향수, 의학적 봉노로 사용되었습니다. 특히 피부 관리와 기분 조절에 탁월한 효과를 보였습니다.

주요 특징: 패츌리 오일은 그의 독특하고 진한 향기로 인해 스트레스와 불안을 완화하고, 기분을 개선하는 데 효과적입니다. 이는 조향에 있어서 중요한 역할을 하며, 많은 향수와 아로마테라피 제품에서 키 노트로 사용됩니다. 또한, 피부를 진정시키고, 피부의 건조함을 개선하며, 피부의 탄력을 증가시키는 데 도움을 줍니다.

주의사항: 무자극, 무독성으로 특별한 주의가 필요없음

2.3 아로마에센셜오일 일상생활에 적용 팁

에센셜 오일의 흡수 경로

아로마테라피는 향기로 인한 효과를 목적으로 하는 치료법으로, 향기 성분이 우리 몸에 어떻게 흡수되는지 이해하는 것이 중요합니다.

1. 피부 경로: 피부는 아로마테라피의 주요 흡수 경로 중 하나입니다. 피부 흡수는 향기 성분이 피부의 상피층을 통해 체내로 흡수되는 과정을 말합니다.

-마사지: 아로마테라피의 피부 경로 중 가장 널리 사용되는 방법 중 하나는 마사지입니다. 캐리어오일에 아로마에센셜오일을 1~3% 희석하여 피부에 바르고, 전문가의 손길로 오일을 부드럽게 마사지하는 과정을 거칩니다. 마사지를 통해 향기 성분이 피부의 상피층으로 흡수되며, 혈액 순환을 촉진하여 대사량을 높이고, 근육의 이완과 피부의 탄력을 증진시킵니다.

- 목욕법: 아로마에센셜오일을 목욕 수조에 첨가하여 목욕하는 방법도 피부 경로로 향기 성분을 흡수하는 효과적인 방법입니다. 목욕 수조에 물을 채운 후 아로마테라피 오일 몇 방울을 첨가하고 잘 섞은 뒤 목욕하는 동안 향기 성분이 피부 표면으로 흡수되도록 합니다. 이때, 물의 온도와 아로마테라피 오일의

농도를 조절하여 적절한 흡수와 안전한 사용을 유지해야 합니다.

- **습포**: 습포는 피부에 아로마에센셜오일을 직접 떨어뜨려 흡수시키는 방법입니다. 피부가 향기 성분을 빠르게 흡수할 수 있는 특성을 이용하여 오일을 피부 표면에 떨어뜨리고 가볍게 문지르는 것으로 흡수를 도모합니다. 이 방법은 특정 부위에 집중적으로 효과를 기대할 때 유용합니다.

- **피부늘 통한 테라피 주의사항**: 피부를 통해 아로마테라피를 적용할 때는 몇 가지 주의사항을 염두에 두어야 합니다. 먼저, 오일의 농도와 피부에 대한 민감도를 고려하여 적절한 농도로 사용해야 합니다. 또한, 피부 상태에 따라 알레르기 반응이 발생할 수 있으므로 사전에 패치 테스트를 실시하고 오일의 사용을 중단해야 할 수도 있습니다. 마지막으로, 오일을 사용한 후에는 피부에 적절한 보습을 해주어 건조를 예방해야 합니다.

2. 흡입 경로: 아로마테라피는 향기를 통해 신체와 정신에 긍정적인 영향을 줍니다. 향기를 흡입하는 것은 쉽고 효과적인 방법 중 하나입니다.

- **램프 확산법**: 램프 확산법은 특수한 램프를 사용하여 아로마에센셜오일을 증발시켜 공기 중에 퍼뜨리는 방법입니다. 이 방법은 아로마테라피 공간을 향기롭게 하거나 방 안의 공기를 정화하는 데 효과적입니다. 아로마에센셜오일을 램프에 넣고 조

명을 켜면 램프의 열에 의해 오일이 증발하여 향기가 방 안에 퍼집니다. 이를 통해 수면을 도움으로써 편안하고 안정적인 수면을 취할 수 있도록 도와줄 수 있습니다.

- **수증기 흡입법**: 수증기 흡입법은 아로마에센셜오일을 뜨거운 물에 넣어 수증기를 발생시켜 향기를 흡입하는 방법입니다. 예를 들어, 뜨거운 물을 담은 그릇에 몇 방울의 아로마에센셜오일을 넣고 얼굴을 가까이하여 수증기를 흡입합니다. 이를 통해 아로마테라피 오일의 효능을 호흡기로 직접 전달하여 증상을 완화시킬 수 있습니다.

- **디퓨저 사용법**: 디퓨저는 아로마에센셜오일을 공기 중에 분사하여 향기를 퍼뜨리는 장치입니다. 디퓨저에 아로마에센셜오일과 물을 넣고 적절한 설정으로 작동시키면 공간에 향기가 퍼지게 됩니다. 이를 통해 스트레스를 완화하고 안정된 마음을 얻을 수 있습니다.

3. **경구 경로:** 일부 아로마테라피 오일은 경구로 섭취할 수 있습니다. 하지만 경구 경로는 전문적인 지도 아래에서 사용되어야 하며, 오일의 농도와 성분에 주의해야 합니다. 경구 경로로 흡수되는 향기 성분은 소화 과정을 거쳐 소장과 간을 통해 체내로 흡수됩니다.

- **경구 섭취법**: 경구 섭취법은 아로마에센셜오일을 구강으로 직접 섭취하는 방법입니다. 아로마에센셜오일을 식용유나 꿀과

같은 기름 또는 감미료와 혼합하여 섭취하는 방법이 있습니다. 이를 통해 아로마테라피 오일의 효능을 소화계로 직접 전달하여 소화 개선이나 면역력 강화에 도움을 줄 수 있습니다.

- 캡슐 형태로 섭취법: 아로마에센셜오일을 캡슐 형태로 만들어 섭취하는 방법도 있습니다. 캡슐에 아로마에센셜오일을 넣고 물과 함께 섭취하여 감기 증상을 완화하는 방법이 있습니다. 이를 통해 아로마테라피 오일의 효능을 체내로 효과적으로 전달하여 증상을 완화시킬 수 있습니다.

- 음료나 음식에 혼합하여 섭취법: 아로마에센셜오일을 음료나 음식에 혼합하여 섭취하는 방법도 있습니다. 아로마에센셜오일을 차나 스무디에 몇 방울 넣어 섭취하여 집중력 향상이나 스트레스 완화를 도모하는 방법이 있습니다. 이를 통해 아로마테라피 오일의 효능을 맛과 함께 체내로 효과적으로 전달하여 원하는 효과를 얻을 수 있습니다.

아로마 디퓨저를 활용한 공간 향기마련

아로마 디퓨저 사용 방법과 주의사항

디퓨저 탱크에 물을 채우고, 아로마 오일 몇 방울을 추가합니다. (추천 비율: 3~5 방울)

디퓨저의 전원을 켜고 타이머를 설정합니다.

향기가 퍼지면서 공간을 향기롭고 편안하게 만들어줍니다.

아로마 디퓨저 사용 방법:

디퓨저 사용 전에 안전 지침을 꼭 확인하세요.

사용할 공간에 환기 창문이나 문을 열어두세요.

일정 시간마다 쉬는 시간을 가지며 디퓨저를 감시하세요.

적절한 비율로 물과 아로마 오일을 사용해야 합니다.

사용 후에는 디퓨저를 꺼내고 청소해야 합니다.

어린이나 애완동물이 있는 공간에서 주의하세요.

집안 각 공간에 어울리는 아로마 오일 추천

침실:

카모마일: 진정과 휴식을 도와주는 효과로 수면에 도움을 줄 수 있습니다.

라벤더: 스트레스 해소와 수면 향상에 도움을 주는 효과가 있습니다.

삼나무: 상쾌하고 편안한 분위기를 조성할 수 있습니다.

거실:

오렌지: 활기찬 분위기를 조성하고, 상쾌한 향기로 에너지를 불어넣을 수 있습니다.

바닐라: 포근하고 편안한 분위기를 연출할 수 있으며, 집 안에 아늑한 느낌을 줍니다.

장미: 고요하고 우아한 분위기를 조성하여 로맨틱한 분위기를 연출할 수 있습니다.

부엌:

레몬: 상쾌하고 청량한 분위기를 조성하며, 부엌에서는 청소 효과로도 알려져 있습니다.

로즈마리: 집중력을 향상시키고, 상쾌한 분위기를 조성할 수 있

습니다.

페퍼민트: 상쾌한 향기로 신선한 분위기를 조성하며, 소화를 돕는 효과도 있습니다.

화장실:

유칼립투스: 상쾌하고 청정한 분위기를 조성하며, 공기를 맑게 해줄 수 있습니다.

티트리: 항균 효과가 있어 청결한 환경을 유지할 수 있으며, 상쾌한 향기를 퍼뜨릴 수 있습니다.

휴식과 스트레스 완화를 위한 아로마 바스

아로마 바스의 효과:

피부 관리, 휴식과 스트레스 완화, 혈액순환 개선, 신경과 근육 이완을 도와줍니다.

아로마 바스의 사용 방법:

따뜻한 물에 아로마 오일을 섞어 욕조에 채우고, 편안하게 몸을 적셔준 뒤 휴식을 취합니다.

주의사항:

피부 테스트를 해보고, 안전한 환기가 되는 공간에서 즐기며, 아로마 오일의 농도와 사용량을 조절해야 합니다.

다양한 아로마 오일을 활용한 휴식을 위한 바스 조합

1. 진정과 휴식을 위한 바스:

라벤더와 카모마일: 라벤더는 진정과 휴식을 도와주는 효과가 있고, 카모마일은 피부 진정 효과가 있어 조합하면 휴식을 더욱 길게 즐길 수 있습니다.

2. 상쾌한 분위기를 위한 바스:

레몬과 로즈마리: 레몬은 상쾌하고 활기찬 분위기를 조성할 수 있으며, 로즈마리는 집중력을 향상시키는 효과가 있어 조합하면 상쾌한 휴식을 즐길 수 있습니다.

3. 포근하고 편안한 분위기를 위한 바스:

바닐라와 장미: 바닐라는 포근하고 편안한 분위기를 연출할 수 있으며, 장미는 고요하고 우아한 분위기를 조성하는 효과가 있어 조합하면 로맨틱한 휴식을 경험할 수 있습니다.

4. 청량한 분위기를 위한 바스:

오렌지와 페퍼민트: 오렌지는 활기찬 분위기를 조성하고, 페퍼민트는 상쾌한 향기로 신선한 분위기를 조성할 수 있어 조합하면 청량감 넘치는 휴식을 즐길 수 있습니다.

아로마 마사지의 효과와 적용법

아로마 마사지의 장점과 효과

1. 신체와 정신적 스트레스 완화: 아로마 마사지는 향기로 인한 효과와 마사지 기법을 통해 신체와 정신적인 스트레스를 완화시킵니다.

2. 근육 이완과 피로 회복: 아로마 마사지는 근육을 이완시키고, 혈액순환을 촉진하여 피로를 회복시키는 효과가 있습니다.

3. 피부 개선: 아로마 오일은 피부에 영양을 공급하고 보호하는 효과가 있어 피부의 탄력과 윤기를 개선시킵니다.

4. 잠재력 개발: 아로마 마사지는 심신의 안정과 명상을 도와주어 창의력과 집중력을 향상시키는 효과가 있습니다.

5. 자연 치유: 아로마 오일은 천연 원료로 만들어지며, 자연의 힘을 활용하여 신체와 정신을 치유하는 효과가 있습니다.

다양한 아로마 오일을 활용한 마사지 오일 조합

피로 회복과 근육 이완을 위한 마사지 오일:

로즈마리와 페퍼민트: 로즈마리는 혈액순환을 촉진시키고 근육을 이완시키는 효과가 있으며, 페퍼민트는 상쾌한 향기로 피로

를 회복시켜줍니다.

피부 개선과 휴식을 위한 마사지 오일:

라벤더와 캐리어 오일: 라벤더는 피부를 진정시켜 주고, 캐리어 오일은 피부에 영양을 공급해주는 효과가 있어 피부 개선과 함께 휴식을 즐길 수 있습니다.

스트레스 완화와 편안함을 위한 마사지 오일:

비가못과 카모마일: 버가못은 향기로 인해 스트레스를 완화시켜주고, 카모마일은 피부 진정 효과가 있어 편안한 마사지를 경험할 수 있습니다.

활력과 기운을 불어넣는 마사지 오일:

오렌지와 유칼립투스: 오렌지는 활기찬 분위기를 조성하고, 유칼립투스는 상쾌한 향기로 청량감을 더해줍니다

아로마 마사지를 위한
안전한 사용 방법과 주의사항

1. 전문가와 상담하기: 아로마 마사지를 처음 시도하는 경우, 전문가와 상담하여 개인의 건강 상태와 피부 알레르기 여부를

확인하세요. 전문가의 조언을 받으면 안전하고 효과적인 마사지를 경험할 수 있습니다.

2. 품질 좋은 아로마 오일 선택하기: 아로마 마사지에 사용되는 오일은 피부에 직접 사용되므로 품질이 좋은 천연 오일을 선택하세요. 인증된 브랜드의 제품을 구입하고, 원료와 제조 과정에 대한 정보를 확인하는 것이 좋습니다.

3. 피부 테스트 진행하기: 아로마 오일은 각인의 피부에 따라 알레르기 반응을 일으킬 수 있습니다. 오일을 사용하기 전에 손목이나 팔뒤 등 작은 부위에 조금 발라 테스트를 진행해보세요. 24시간 동안 피부가 이상 반응이 없는지 확인한 후 사용하세요.

4. 적절한 농도로 희석하기: 아로마 오일은 농도가 강할 경우 피부 자극을 줄 수 있으므로, 캐리어 오일과 적절히 혼합하여 희석해야 합니다. 일반적으로 1~3%의 농도로 사용하는 것이 적절합니다.

5. 민감한 부위 피하기: 아로마 마사지를 할 때는 민감한 부위인 눈 주변, 상처가 있는 부위, 알레르기 반응이 나타날 수 있는 부위를 피해야 합니다. 안전을 위해 얼굴, 목, 가슴, 팔, 다리 등 큰 근육이 있는 부위에 주로 사용하세요.

6. 사용 후 적절한 관리: 아로마 마사지 후에는 사용한 오일을 바로 정리하고 보관해야 합니다. 오일은 직사광선과 열에 노출되지 않도록 어두운 곳에 보관하고, 유통기한을 확인하여 사용하시기 바랍니다.

일상적인 환경에서의 아로마 스프레이 활용

아로마 스프레이의 효과와 사용 방법

아로마 스프레이는 향기를 통해 심신을 안정시키는 효과가 있습니다.

스프레이를 사용하여 공간을 즉석에서 향기롭게 만들거나, 음악 감상, 명상, 수면 등의 휴식 시간에 사용할 수 있습니다.

사용 방법은 스프레이를 공간 또는 물체 위에 적절한 거리에서 뿌려주는 것입니다.

주의할 점은 과도한 사용으로 공기 중 향기가 집중되어 불편감을 줄 수 있으므로 적절한 양을 사용하는 것이 중요합니다.

또한, 개인의 피부나 호흡기에 알레르기 반응이 있을 수 있으므로, 사용하기 전에 테스트를 진행해보거나 전문가와 상담하는 것이 좋습니다.

다양한 아로마 오일을 활용한 마사지 오일 조합

1. 피로 회복과 근육 이완을 위한 마사지 오일:

로즈마리와 페퍼민트: 로즈마리는 혈액순환을 촉진시키고 근육을 이완시키는 효과가 있으며, 페퍼민트는 상쾌한 향기로 피로를 회복시켜줍니다.

2. 피부 개선과 휴식을 위한 마사지 오일:

라벤더와 캐리어 오일: 라벤더는 피부를 진정시켜 주고, 캐리어 오일은 피부에 영양을 공급해주는 효과가 있어 피부 개선과 함께 휴식을 즐길 수 있습니다.

3. 스트레스 완화와 편안함을 위한 마사지 오일:

버가못과 카모마일: 버가못은 향기로 인해 스트레스를 완화시켜주고, 카모마일은 피부 진정 효과가 있어 편안한 마사지를 경험할 수 있습니다.

4. 활력과 기운을 불어넣는 마사지 오일:

오렌지와 유칼립투스: 오렌지는 활기찬 분위기를 조성하고, 유칼립투스는 상쾌한 향기로 청량감을 더해줍니다.

유용한 팁

1. 적절한 양 사용하기: 스프레이를 사용할 때는 공간의 크기와 개인의 민감도를 고려하여 적절한 양을 뿌려줍니다.

2. 조합 실험하기: 다양한 아로마 오일을 조합하여 스프레이를 만들어보며, 자신에게 가장 적합한 향기를 찾아봅니다.

3. 휴대용 용기 사용하기: 작은 용기에 스프레이를 담아 휴대하기 쉽게 민들어 휴식 시간이나 외출 시에도 편리하게 사용할 수 있습니다.

주의사항

1. 피부와 민감한 부위 피하기: 스프레이를 사용할 때는 눈 주변이나 상처가 있는 부위를 피해야 하며, 개인의 피부에 알레르기 반응이 있는 경우 사용을 자제해야 합니다.

2. 과도한 사용 주의하기: 스프레이를 과도하게 사용할 경우 공기 중 향기가 집중되어 불쾌감을 줄 수 있으므로, 적절한 양을 사용하는 것이 중요합니다.

3. 장시간 노출 피하기: 스프레이를 사용한 공간에 오랫동안 노

출되는 것을 피해야 합니다. 향기를 즐기기 위해 사용한 후에는 공간을 환기시키는 것이 좋습니다.

아로마 향수 사용의 팁과 노하우

아로마 향수의 장점과 사용 방법

장점:

향기로운 경험: 아로마 향수는 다양한 향기를 제공하여 향기로운 경험을 즐길 수 있습니다.

감정 조절: 특정 향기는 감정을 조절하고 편안함을 주는 효과가 있어 스트레스 완화나 기분 개선에 도움을 줄 수 있습니다.

자기 표현의 수단: 향수는 개인의 특색과 성격을 나타내는 자기 표현의 수단으로 사용될 수 있습니다.

자연 요소의 활용: 아로마 향수는 자연에서 추출된 오일을 사용하여 만들어지므로 자연 요소를 활용한 제품으로 안전하고 친환경적입니다.

사용 방법:

발라 사용하기: 손목이나 목덜미와 같은 피부에 향수를 발라 사용합니다. 양을 적절히 조절하여 사용하며, 피부에 바르고 가볍게 터치하여 향기를 퍼뜨립니다.

스프레이 사용하기: 향수 스프레이를 사용할 경우, 팔꿈치 내측이나 목 뒤와 같은 부위에 조금씩 뿌려줍니다. 거리를 유지하여 과도한 사용을 피하고, 편안한 거리에서 향기를 뿌려줍니다

응용 방법: 향수를 옷이나 머리카락에 뿌리거나, 개인의 취향에 따라 다양한 방법으로 사용할 수 있습니다.

다양한 아로마 오일을 활용한 향수 조합

1. 로맨틱한 분위기를 연출하는 향수:

로즈, 베르가못, 백리향: 로즈는 로맨틱한 분위기를 연출하며, 베르가못은 강인한 매력을 더해줍니다. 백리향은 은은한 향기로 조화를 이룹니다. 이 조합으로 로맨틱한 향수를 만들어보세요.

2. 상쾌하고 활기찬 향수:

레몬, 민트, 그레이프프루트: 레몬은 상쾌함을 주고, 민트는 활력을 불어넣어줍니다. 그레이프프루트는 활기찬 향기를 더해줍니다. 이 조합으로 상쾌하고 활기찬 향수를 만들어보세요.

3. 진정하고 안정감을 주는 향수:

라벤더, 캐모마일, 삼나무: 라벤더는 진정 효과가 있고, 캐모마일은 안정감을 주며, 삼나무는 우아한 향기를 더해줍니다. 이 조합으로 진정하고 안정감을 주는 향수를 만들어보세요.

4. 우아하고 고급스러운 향수:

장미, 장포도, 앰버: 장미는 우아하고 고급스러운 분위기를 연출하며, 장포도는 달콤함을 더해줍니다. 앰버는 풍부하고 성공적인 향기를 더해줍니다. 이 조합으로 우아하고 고급스러운 향수를 만들어보세요.

아로마 향수의 지속성을 높이는 방법과 주의사항

지속성을 높이는 방법:

1. 향수를 발라주는 시기: 향수를 사용하기 전에 적절한 시기를 선택해야 합니다. 피부가 수분이 풍부한 상태일 때 발라주면

향수가 오래 유지될 수 있습니다.

2. 발라주는 부위 선택: 향수를 발라주는 부위에 따라 지속성이 달라질 수 있습니다. 발과 목 뒤와 같이 체온이 높은 부위에 향수를 발라주면 향기가 오래 유지될 수 있습니다.

3. 적절한 양 사용: 향수를 너무 많이 사용하면 향이 너무 짙어져 지속성이 떨어질 수 있으므로, 적절한 양을 사용하는 것이 중요합니다.

주의사항:

1. 피부 반응 확인: 향수를 사용하기 전에 피부에 테스트를 진행해야 합니다. 알레르기 반응이나 피부 트러블이 발생할 수 있으므로, 안전을 위해 테스트 후 사용해야 합니다.

2. 과도한 사용 주의: 향수를 과도하게 사용하면 다른 사람들에게 불쾌감을 줄 수 있으므로, 적절한 양을 사용하는 것이 중요합니다.

3. 보관 환경 고려: 향수는 직사광선이 닿지 않는 서늘하고 건조한 곳에 보관해야 합니다. 높은 온도나 습기로 인해 향수의 품질이 저하될 수 있습니다.

피부 관리를 위한 아로마 오일 사용법과 조합

보습 및 영양 공급:

조합 예시: 로즈힙 오일 + 캐모마일 오일

사용법: 세안 후 피부에 조합한 오일을 바르고 부드럽게 마사지해줍니다. 보습과 영양을 동시에 공급하여 건조한 피부를 개선해줍니다.

피부 진정과 염증 완화:

조합 예시: 라벤더 오일 + 프랑킨센스 오일

사용법: 피부에 조합한 오일을 바르고 부드럽게 마사지해줍니다. 진정 효과와 염증을 완화해주는 효과가 있어 피부 트러블을 진정시켜줍니다.

피부 탄력 개선:

조합 예시: 로즈마리 오일 + 살비아 오일

사용법: 피부에 조합한 오일을 바르고 부드럽게 마사지해줍니다. 탄력을 개선하고 피부에 생기를 불어넣어주는 효과가 있습니다.

피부 톤 개선:

조합 예시: 베르가못 오일 + 달마스크 오일

사용법: 피부에 조합한 오일을 바르고 부드럽게 마사지해줍니다. 피부 톤을 개선하고 환하고 균일한 피부를 만들어줍니다.

헤어 케어를 위한 아로마 오일 활용법과 팁

두피 진정과 머리카락 강화:

조합 예시: 로즈마리 오일 + 티트리 오일

사용법: 샴푸를 한 후 두피에 조합한 오일을 조금 발라 마사지해줍니다. 두피를 진정시키고 머리카락을 강화하여 건강한 머리결을 유지할 수 있습니다.

모발 윤기와 탄력 개선:

조합 예시: 라벤더 오일 + 로즈 오일

사용법: 헤어 컨디셔너를 사용한 후 조합한 오일을 바른 머리카락에 바르고 가볍게 마사지해줍니다. 모발에 윤기와 탄력을 더해줄 수 있습니다.

자연적인 스타일링과 향기 부여:

조합 예시: 베르가못 오일 + 삼나무 오일

사용법: 손으로 약간의 오일을 덜어 머리카락에 바르고 원하는 스타일로 손질해줍니다. 자연적인 스타일링과 동시에 향기를 부여할 수 있습니다.

가려움 완화와 보습:

조합 예시: 카모마일 오일 + 코코넛 오일

사용법: 머리카락에 조합한 오일을 바르고 가볍게 마사지해줍니다. 가려움을 완화시키고 보습하여 건조한 두피와 모발을 케어할 수 있습니다.

몸과 마음을 위한 아로마 오일을 활용한 자기 관리 방법

스트레스 해소와 안정감 증진:

조합 예시: 라벤더 오일 + 버가못 오일

사용법: 디퓨저에 물과 함께 조합한 오일을 넣고 방 안에 퍼뜨려줍니다. 라벤더 오일은 스트레스를 해소하고, 버가못 오일은

안정감을 증진시켜 몸과 마음을 편안하게 만들어줍니다.

수면 향상과 휴식:

조합 예시: 로즈마리 오일 + 캐모마일 오일

사용법: 잠자리에 몇 방울 조합한 오일을 묻혀 놓거나 베개에 뿌려줍니다. 로즈마리 오일은 집중력을 향상시키고, 캐모마일 오일은 수면 품질을 개선하여 휴식을 취할 수 있도록 도와줍니다

에너지 부여와 집중력 개선:

조합 예시: 페퍼민트 오일 + 레몬 오일

사용법: 손목에 조합한 오일을 두세 번 발라 향기를 맡아줍니다. 페퍼민트 오일은 에너지를 부여하고, 레몬 오일은 집중력을 개선하여 활기찬 상태로 자신을 돌아보고 일에 집중할 수 있도록 도와줍니다.

감정 안정과 긍정적인 기분 유지:

조합 예시: 로즈 오일 + 삼나무 오일

사용법: 손목이나 가슴에 조합한 오일을 발라 향기를 맡아줍니다. 로즈 오일은 감정을 안정시키고, 삼나무 오일은 긍정적인 기분을 유지하여 마음을 편안하게 만들어줍니다.

03
향기, 향수가 되다

3.1 향수의 역사와 흥미로운 이야기

향수의 역사

향수의 역사는 인류 역사와 함께 시작되었습니다. 우리가 향기를 향해 감정을 느끼고, 기억하고, 상상하는 이유는 매우 복잡하며, 이는 인간의 문화, 신앙, 심리, 그리고 역사와 깊이 연결되어 있습니다. 이것이 바로 향수의 매력이며, 그 역사를 통해 인류의 이야기를 엿볼 수 있습니다.

향수의 역사를 살펴보면, 가장 먼저 고대 이집트로 여행을 떠나게 됩니다. 이집트인들은 향수를 일상생활, 의식, 그리고 장례식에 사용하였습니다. 그들은 몸과 영혼을 정화시키기 위해 향수를 사용했으며, 이는 신성한 의식의 일부였습니다. 이집트인들은 또한 향수를 화장품으로 사용하여, 미와 젊음을 유지하려고 노력하였습니다.

그 다음 우리의 여행은 고대 그리스와 로마로 이어집니다. 그리스인들은 향수를 향상된 삶의 표현으로 보았으며, 로마인들은 목욕 문화와 결합하여 향수를 일상 생활의 일부로 만들었습니다. 특히 로마인들은 공공 목욕탕에서 향수를 넓게 사용하였고, 이는 그들의 생활 방식을 대표하는 것이었습니다.

중세 시대에는 향수가 더욱 복잡하고 세련된 방식으로 발전하였습니다. 이 시기에는 향수가 사치품이 되었으며, 귀족과 교회에서만 사용되었습니다. 향수는 권력과 부의 상징이 되었으며, 이를 통해 사회적 지위를 나타내는 수단이 되었습니다.

그리고 19세기, 향수의 골든 에이지가 시작되었습니다. 이 시기에는 과학과 예술이 결합하여 향수를 완전히 새로운 차원으로 끌어올렸습니다. 새로운 화학적 방법들이 발전하면서, 향수 제조사들은 자연에서 얻을 수 없는 새로운 향기를 만들 수 있게 되었습니다. 이 시기에 만들어진 향수 중 많은 것들이 오늘날까지 사랑받고 있습니다.

향수의 역사는 인간의 추구와 욕망, 그리고 끊임없는 창조력의 역사입니다. 우리는 향수를 통해 자신을 표현하고, 기억을 공유하며, 미래를 상상합니다. 향수는 우리의 일상생활에 깊이 뿌리내리고 있으며, 이는 향수의 역사가 아직 끝나지 않았음을 의미합니다. 향수의 미래는 어떠할지, 그것은 우리 모두가 함께 만들어가는 이야기이며, 그 여정은 끝이 없습니다.

향수, 그 흥미로운 이야기

향으로 역사를 바꾼 여인 클레오파트라

클레오파트라, 그 이름만으로도 고대 이집트의 화려함과 명성을 연상시킵니다. 그녀는 그 시대의 가장 강력한 여성 중 한 명이었으며, 그녀의 아름다움은 전설적으로 알려져 있습니다. 그런데, 아름다움만이 그녀를 특별하게 만든 것은 아니었습니다. 그녀는 그 시대의 가장 숙련된 정치가였다는 점에서도 유명했지만, 또한 향수에 대한 그녀의 열정과 사랑으로도 잘 알려져 있습니다.

클레오파트라는 향수를 그저 좋은 냄새를 내는 도구로 보지 않았습니다. 그녀에게 향수는 권력의 표현이었으며, 그녀의 매력을 더욱 돋보이게 하는 무기였습니다. 그녀는 향수를 사용하여 자신의 정치적 목표를 달성하는 데 큰 도움을 받았습니다.

가장 유명한 이야기 중 하나는, 그녀가 로마의 율리우스 카이사르를 홀리기 위해 사용한 향수에 관한 것입니다. 전설에 따르면, 클레오파트라는 카이사르를 만나기 위해 로마로 가는 길에 그녀의 배에 향료를 가득 채웠습니다. 그녀의 배가 로마에 도착했을 때, 그 향기는 바람에 실려 도시 전체에 퍼져 나갔다고 합니다. 이 향기를 맡은 카이사르는 그녀를 만나기 위해 서두르게 되었고, 이것이 그들의 유명한 로맨스의 시작이었습니다.

또 다른 이야기는, 그녀가 마르크 안토니우스를 매혹하기 위해 향수를 사용한 방법에 관한 것입니다. 클레오파트라는 안토니우스를 처음 만났을 때, 그녀의 몸과 옷, 그리고 그녀가 동반한 모든 사람들이 향기로 뒤덮여 있었다고 합니다. 그녀는 그를 만나기 위해 향기로운 꽃들로 가득 찬 배를 준비했고, 그의 도착을 기다리는 동안 그녀는 배를 향수로 불태웠습니다.

이런 일화들은 클레오파트라가 얼마나 향수를 사랑했는지를 보여줍니다. 그녀는 향수를 사용하여 자신의 매력을 향상시키고, 사람들을 매혹하며, 그녀의 권력을 과시하는 데 탁월했습니다. 그녀의 이야기는 향수의 힘을 보여주는 완벽한 예시이며, 그녀의 기교와 지혜, 그리고 그녀의 열정을 보여줍니다. 클레오파트라의 이야기는 오늘날에도 여전히 많은 여성들에게 영감을 줍니다. 그녀는 그저 향수를 좋아했던 여성이 아니라, 향수를 그녀의 도구로 사용하여 역사를 바꾼 여성이었습니다.

향기나는 절세미인 양귀비

중국의 절세미녀 양귀비는 그녀의 아름다움과 향기로 중국의 제왕마저 매혹해냈습니다. 그녀는 정자, 감송항, 청목향, 규심, 당귀, 사향 등의 향약생약을 활용하여 자신만의 향을 만들어냈습니다. 그 향은 그녀의 체내에서 나와 그녀의 체취를 더욱 매혹적으로 만들었고, 그것은 제왕을 더욱 그녀에게 끌어들였습니다.

그녀의 거처도 그녀의 향기에 가득 찼습니다. 유황이나 사향으로 칠한 벽과 침향, 백단으로 짜 올린 기둥은 그녀의 궁전에 특별한 향기를 더했습니다. 제왕이 그녀의 궁전을 방문할 때마다, 그는 그 향기에 휩싸여 그녀에게 더욱 푹 빠져들었습니다.

그러나 양귀비의 생애는 고난과 시련으로 가득했습니다. 그녀는 반란군에 쫓기게 되었고, 결국 그녀는 그녀를 사랑하던 황제 대신 죽음을 택하게 되었습니다. 그럼에도 불구하고, 그녀의 유해에서는 그녀의 생전에 가장 사랑했던 향기, 용뇌의 향기가 계속해서 나왔습니다. 이는 그녀가 향기를 자신의 일부로 만들어 냈음을 보여주는 증거였습니다.

양귀비의 이야기는 그녀의 아름다움과 향기가 얼마나 강력한 힘을 가지고 있었는지를 보여줍니다. 그녀의 향기는 그녀를 둘러싼 모든 사람들을 매혹하였고, 그녀의 죽음 이후에도 그 향기는 계속해서 그녀의 존재를 기억하게 만들었습니다. 그녀의 이야기는 향수의 힘과 중요성을 여실히 보여주는 아름다운 예시입니다.

루이 14세의 향수 사랑

루이 14세는 프랑스 왕국을 72년 동안 통치한 태양왕으로 유명합니다. 그는 권력과 화려함을 상징하는 인물로, 그만큼 향수에 대한 사랑도 남달랐습니다.

루이 14세는 하루에 여러 번 목욕을 했으며, 목욕물에 향수를 첨가하였습니다. 또한, 옷과 머리, 심지어 손톱까지 향수를 발랐다고 합니다. 그의 침실과 화장실은 항상 향기로 가득했다고 전해집니다.

루이 14세는 향수에 대한 자신의 취향을 자랑스러워했습니다. 그는 자신의 궁전을 방문하는 손님들에게 향수를 선물하거나, 향수를 직접 만들어 선물하기도 했습니다. 루이 14세의 향수 사랑은 프랑스 왕실의 문화로 자리 잡았고, 당시 프랑스는 세계 최고의 향수 생산국으로 떠올랐습니다.

루이 14세의 향수 사랑은 당시 프랑스 왕실의 문화로 자리 잡았습니다. 루이 14세의 궁정에는 전문 조향사가 상주하여 왕과 귀족들을 위한 향수를 만들었습니다. 또한, 루이 14세는 프랑스 왕실의 향수를 해외에 수출하여 프랑스를 세계 최고의 향수 생산국으로 만들었습니다.

루이 14세의 향수 사랑은 오늘날까지도 많은 사람들에게 회자되고 있습니다. 그는 자신의 권력과 화려함을 향수에 담아냈으며, 그로 인해 프랑스 왕실의 문화와 향수 산업에 큰 영향을 미쳤습니다.

비극의 그녀 마리 앙투아네트

마리 앙투아네트, 그녀의 이름만 들어도 사치와 화려함이 떠오릅니다. 태어날 때부터 그녀는 와인 목욕과 태반 미용 등 초호화 생활을 즐겼습니다. 그런 그녀에게 가장 큰 사랑을 보낸 사람, 바로 장 프랑수아 우비강은 그녀를 위해 파리 생토노레 가에 향수 회사 '코르베이유 드 플뢰리'를 차렸습니다. 그는 다양한 플로랄 노트의 향수를 만들어 앙투아네트에게 바쳤습니다.

마리 앙투아네트의 아름다움은 그녀의 뽀얀 우윳빛 피부와 반짝이는 금발, 그리고 그 미소에서 볼 수 있었습니다. 그녀의 아름다움은 그녀가 화려한 드레스를 입고, 거대한 머리장식을 하고, 국고를 허비하며 사교계에서 파티를 벌이는 것에 빛을 발하였습니다.

그런데 그녀의 화려한 생활은 결국 그녀를 비극으로 이끌었습니다. 그녀는 프랑스 혁명으로 인해 국민의 분노를 사고, 결국 처형당하게 되었습니다. 그럼에도 불구하고 그녀의 향기는 그녀의 죽음 이후에도 사람들의 기억에 오래도록 남았습니다. 그녀의 향수는 그녀의 아름다움과 강렬한 존재감을 완벽하게 표현하였으며, 그 향수는 그녀의 생전에 가장 사랑받았던 것 중 하나였습니다.

이 책에서는 마리 앙투아네트의 향기에 대한 이야기를 통해 그녀의 생애와 그녀의 사랑에 대해 더욱 깊이 이해할 수 있도록 안내할 것입니다. 그녀의 이야기는 향수의 힘과 중요성을 보여주며, 향수가 아름다움과 우아함을 표현하는 강력한 도구라는 것을 보여줍니다.

섹시의 아이콘 마릴린 먼로

마릴린 먼로, 그녀는 화려한 미모와 독특한 매력으로 세계를 사로잡은 할리우드의 대표적인 여배우입니다.

1952년에 일어난 인터뷰에서 기자는 먼로에게 "잠을 잘 때 무엇을 입느냐?"라는 음흉한 질문을 던졌습니다. 그러자 먼로는 빠르게 대답했습니다. "샤넬 N°5를 입고 잡니다." 이 대답은 당시 사람들에게 큰 충격을 주었고, 먼로와 샤넬 N°5의 이름은 함께 전 세계를 누비게 되었습니다.

그 이후로 샤넬 N°5는 그저 향수가 아닌, 섹시함과 우아함의 상징이 되었습니다. 먼로의 이 한 마디로 인해 샤넬 No.5는 전 세계 여성들이 꼭 한 번쯤 소유하고 싶어하는 향수로 자리매김하게 되었습니다. 이 향수는 먼로의 섹시함과 자유로움을 상징하는 아이템이 되었고, 그녀의 이미지를 한층 더 강화시켰습니다.

이 이야기는 향수가 단순히 좋은 향을 내는 물질이 아니라, 개인의 이미지를 만들어내고, 그 이미지를 강화시키는 도구가 될 수 있다는 것을 보여줍니다. 먼로의 이 이야기는 향수를 통해 우리의 삶을 어떻게 더욱 아름답고 매력적으로 만들 수 있는지에 대한 아름다운 영감을 제공합니다.

3.2 향기를 다루는 기술: 조향의 기초 이론

조향은 향기를 조합하고 창조하는 과정을 의미합니다. 이는 향료, 에센셜 오일, 아로마 화합물 등을 활용하여 새로운 향기를 만드는 예술과 과학이 결합된 분야입니다.

Formula: 향료를 조합하는 비율과 방법을 나타내는 조향의 공식. 조향사의 창작과정에서 가장 중요한 도구로 사용되며, 향료의 조합 비율에 따라 향수의 향기가 달라집니다.

Accord: 음악 용어로서 화음을 의미하지만, 다양한 향료들을 조합하여 향수의 향기의 조화를 의미함. Accord는 향료들이 밸런스를 이루어 더욱 풍부하고 조화로운 향이 창출되는 것입니다.

Dilution: 원료 향료를 물 또는 알코올 등 휘발성 용매로 희석하는 과정. 향료는 농도가 높으면 강렬한 향기를 가지지만, 희석함으로써 향기를 더 조화롭게 만들 수 있습니다. Dilution은 향료의 향기를 보다 부드럽고 균형있게 표현하기 위해 사용되며, 향수 제작에 있어서 중요한 단계입니다.

기본적으로 [향료1: 솔벤트9]의 비율로 희석합니다.

Smelling: 냄새를 감지하는 과정.

Olfaction: 후각을 통해 향기를 감지하고 분석하는 감각입니다. 인간과 동물은 코를 통해 공기 중에 떠다니는 향기 분자를 감지하여 향기를 인식합니다. 조향사들은 Olfaction을 통해 향료의 특성과 성질을 파악하고 향수를 조합하는 데 활용합니다.

향기 감지 (Odor Detection): Olfaction은 공기 중에 떠다니는 향기 분자를 감지하여 인식합니다. 향료의 특성과 성분을 코를 통해 인지하고, 이를 향료의 향기와 연결시킵니다.

향기 분석 (Odor Analysis): Olfaction은 향기를 분석하여 향료의 조합이나 원료의 품질을 평가합니다. 향료의 향기 성분, 강도, 지속력 등을 분석하여 원하는 향기를 조합하기 위한 기준을 세우고 향수의 품질을 평가합니다.

Note(발향단계): 시간이 지나면서 변화하는 향기의 단계

노트(Note)란 고어로서 음악에서 음표를 지칭하는 단어입니다. 한 곡의 음악이 여러 노트, 즉 음표의 조화로 완성되는 것과 같이, 향수 역시 세 가지 노트의 조화로 하나의 새로운 향수로 탄생되는 것입니다.

탑노트(Top Note/Head Note): 향수를 처음 뿌렸을 때 가장 먼저 느껴지는 향기로, 전체 향기의 약 10~15%를 차지합니다. 대체로 가볍고 상쾌한 향기를 가진 향료로 구성되며, 이는 향수를 처음 맡았을 때의 첫인상을 결정짓습니다.

시트러스 계열: 이 계열의 향료는 상쾌하고 활기찬 향기를 가

지고 있으며, 향수를 처음 뿌렸을 때의 상쾌함과 청량감을 증가시킵니다. 이에는 레몬, 라임, 오렌지, 그레이프프루트, 베르가모트 등이 포함됩니다.

민트 계열: 민트 계열의 향료는 시원하고 상쾌한 향기를 가지고 있습니다. 이 계열의 향료는 향수에 신선함과 청량감을 더해줍니다. 대표적인 민트 계열의 향료로는 페퍼민트, 스피어민트 등이 있습니다.

그린 계열: 그린 계열의 향료는 신선하고 자연스러운 향기를 가지고 있습니다. 이 계열의 향료는 향수에 청량감과 자연의 향을 더해줍니다. 이에는 잎, 줄기, 풀 등 식물의 향이 포함됩니다.

미들노트(Middle Note/Heart Note): 탑노트가 사라진 후에 느껴지는 향기로, 전체 향기의 약 40~70%를 차지하며 향수의 '심장'이라고도 불립니다. 이 노트는 향수의 주요 향기를 결정짓는 역할을 합니다.

플로럴 계열: 이 계열의 향료는 향수에 부드럽고 여성스러운 향기를 더합니다. 장미, 자스민, 라벤더, 프리지아, 체리블로섬 등 다양한 꽃 향기가 이 계열에 포함됩니다.

허브 계열: 허브 계열의 향료는 상쾌하고 청량한 향기를 가지며, 자연스러우면서도 심신을 진정시키는 향기를 제공합니다. 로즈마리, 타임, 바질, 레몬그라스 등이 이 계열에 속합니다.

스파이시 계열: 스파이시 계열의 향료는 강렬하고 따뜻한 향기를 가지며, 향수에 복합적이고 풍부한 느낌을 줍니다. 시나몬, 클로브, 블랙 페퍼 등이 이 계열에 포함됩니다.

프루티 계열: 프루티 계열의 향료는 달콤하고 신선한 향기를 제공합니다. 사과, 복숭아, 딸기, 레몬, 자몽 등 다양한 과일 향기가 이 계열에 속합니다.

마린 계열: 마린 계열의 향료는 바다나 신선한 물의 향기를 나타내며, 향수에 청량하고 신선한 느낌을 줍니다. 이 계열의 향료는 바다, 물, 소금, 바람 등의 향기를 표현합니다.

베이스노트(Base Note/Last Note): 향수의 마지막 단계로, 전체 향기의 약 15~30%를 차지하며 가장 오래 지속됩니다. 베이스노트는 향수의 전체적인 향기를 안정화시키고, 향기의 지속성을 높이는 역할을 합니다.

애니멀 계열: 이 계열의 향료는 독특하고 강렬한 향기를 가지며, 향수에 복잡성과 깊이를 더합니다. 머스크, 앰버그리스, 비버, 시벳캣 등이 이 계열에 포함됩니다.

앰버 계열: 앰버 계열의 향료는 따뜻하고 부드러운 향기를 가지며, 향수에 풍부하고 오래 지속되는 향기를 제공합니다. 앰버, 바닐라, 라브단움 등이 이 계열에 속합니다.

발사믹 계열: 발사믹 계열의 향료는 달콤하고 진한 향기를 가지며, 향수에 풍부하고 따뜻한 느낌을 줍니다. 프랑킨센스, 미르,

벤조인 등이 이 계열에 포함됩니다.

파우더리 계열: 파우더리 계열의 향료는 부드럽고 섬세한 향기를 제공하며, 향수에 여성스러움과 세련된 느낌을 더합니다. 이 이리스, 통카넛, 바닐라, 헬리오트로프 타입 등이 이 계열에 속합니다.

우디 계열: 우디 계열의 향료는 따뜻하고 풍부한 향기를 가지며, 향수에 깊이와 복잡성을 더합니다. 산달우드, 시더우드, 패츌리, 베티버 등이 이 계열에 포함됩니다.

모시 계열: 모시 계열의 향료는 부드럽고 따뜻한 향기를 가지며, 향수에 부드러움과 풍부함을 더합니다. 이 계열에는 흰 모시, 검은 모시 등이 포함됩니다.

향의 구성요소

기조제: 향수의 주요 향기를 결정하는 요소로, 향수의 전체적인 향기를 구성하는 기반이 됩니다.

변조제: 변조제는 기조제의 향기를 변화시키거나 보완하는 역할을 합니다. 이는 향수의 향기에 다양성을 추가하고, 향기의 조화를 이루는 데 중요한 역할을 합니다.

보류제: 보류제는 향수의 향기가 더 오래 지속되도록 하는 역할을 합니다. 보류제는 향수의 향기가 증발하는 속도를 늦추어, 향수의 향기 지속 시간을 늘리는 데 도움을 줍니다.

조화제: 조화제는 향수의 다양한 향료들 사이의 조화를 이루는 역할을 합니다. 이는 향수의 전체적인 향기를 균형있게 만들어주며, 향료들 사이의 조화를 이루는 데 중요한 역할을 합니다.

향수는 향료, 알코올, 증류수로 이루어져 있습니다.

향수의 부향률은 향수에 함유된 향료의 양을 나타내는 비율입니다. 부향률은 %로 표기되며, 100%에 가까울수록 향료의 함유량이 많고, 향이 강하게 느껴집니다.

파르퓸(Parfum) 또는 퍼퓸(Perfume):
부향률: 20~30%

가장 높은 부향률을 가지는 향수로, 향기가 매우 짙고 오래 지속됩니다.

보통 한 번의 스프레이로도 오랫동안 향기를 느낄 수 있어 사용량이 적습니다.

하지만 가격이 다른 향수에 비해 비싸고, 향기가 강하므로 사용 시 주의가 필요합니다.

오 드 퍼퓸(Eau de Parfum):

부향률: 15~20%

오 드 뚜왈렛과 퍼퓸의 중간 정도로, 향기는 강하지만 가격은 상대적으로 저렴합니다.

향기의 지속력은 오 드 뚜왈렛에 비해 좋으며, 스프레이로 사용됩니다.

보통 일상적인 사용에 적합하며, 향을 좋아하는 사람들에게 추천됩니다.

오 드 뚜왈렛(Eau de Toilette):

부향률: 10~20%

퍼퓸보다는 약간 덜 짙은 향수로, 일상적으로 많이 사용됩니다.

퍼퓸에 비해 가격이 상대적으로 저렴하고, 향기도 오랫동안 유지됩니다.

보통 스프레이로 사용하며, 사용 시 어느 정도의 양이 필요합니다.

오 드 코롱(Eau de Cologne):

부향률: 3~8%

향수 중에서 가장 가벼운 향수로, 상쾌하고 경쾌한 향기를 가지고 있습니다.

향기의 지속력이 퍼퓸이나 오 드 뚜왈렛에 비해 상대적으로 짧습니다.

주로 여름철이나 따뜻한 날씨에 많이 사용되며, 더 자주 발라도 부담스럽지 않습니다.

샤워코롱(Shower Cologne):

부향률: 1~3%

이름에서 알 수 있듯이 샤워 시에 사용하는 코롱 형태의 제품입니다.

샤워코롱은 향수보다는 가벼운 향기를 가지고 있으며, 주로 몸을 닦은 후에 발라 사용합니다. 향기의 지속력은 상대적으로 짧지만, 샤워 후 상쾌한 향기를 느낄 수 있습니다.

향수 계열에 따른 분류

플로럴(Floral) 계열

플로럴(Floral) 계열은 향수 중에서 가장 널리 알려진 계열 중 하나입니다. 이 계열은 꽃의 향기를 주로 기반으로 하며, 여러 종류의 꽃과 꽃잎, 꽃의 꽃부리 등을 조합하여 다양한 향기를 만들어냅니다. 플로럴 계열은 다양한 향기의 조합으로 인해 매우 다채롭고 개성이 강한 향수들이 많이 있습니다.

예를 들어, 백합(Lily)은 플로럴 계열에 속하는 꽃 중 하나로, 우아하고 섬세한 향기를 가지고 있습니다. 백합의 꽃 향기는 깨끗하고 화사한 느낌을 주며, 플로럴 계열의 향수에서 주로 중요한 역할을 합니다.

장미(Rose) 역시 플로럴 계열에서 매우 인기 있는 꽃입니다. 장미는 고귀하고 우아한 향기를 가지고 있어, 플로럴 계열의 향수에서 가장 대표적인 향료 중 하나입니다. 장미의 향기는 로맨틱하고 여성스러운 이미지를 떠올리게 합니다.

그 외에도 자스민(Jasmine), 피오니(Peony), 체리 블라썸(Cherry Blossom), 국화(Chrysanthemum) 등 다양한 꽃들이 플로럴 계열의 향수에서 사용됩니다. 각 꽃마다 특유의 향기와 개성이 있어, 플로럴 계열의 향수는 다양한 매력을 가지고 있습니다.

이처럼 플로럴 계열은 다양한 꽃의 향기를 조합하여 만들어지는데, 각 꽃마다 특별한 매력과 향기를 가지고 있습니다.

플로럴 계열의 향수의 예시

Chanel Coco Mademoiselle: 샤넬의 Coco Mademoiselle은 플로럴 워치프리지아(White Florals) 계열에 속하는 향수로, 세련된 장미와 자스민의 조화로운 향기를 가지고 있습니다. 우아하고 세련된 여성스러움을 표현하는 향수로 많은 사랑을 받고 있습니다.

Dior J'adore: 디올의 J'adore는 플로럴 향기와 신선한 과일 향기가 조화로운 향수입니다. 장미, 자스민, 이란 이란 등 다양한 꽃 향기가 믹스되어 여성스러우면서도 화려한 향기를 선사합니다.

Gucci Bloom: 구찌의 Bloom은 백합, 자스민, 피오니 등 다양한 꽃 향기로 구성된 향수입니다. 플로럴 계열의 풍부한 향기와 고급스러운 디자인이 만나 화려하면서도 우아한 분위기를 연출합니다.

Marc Jacobs Daisy: 마크 제이콥스의 Daisy 시리즈는 시트러스와 꽃 향기의 조화로 유명한 향수입니다. 상큼하고 청량한 플로럴 계열의 향기로, 젊고 경쾌한 분위기를 만들어줍니다.

Jo Malone London Peony & Blush Suede: 조 말론 런던의 Peony & Blush Suede는 피오니의 향기와 스웨이드의 부드러운 향기가

어우러진 향수입니다. 플로럴 계열의 풍부한 향기와 고급스러운 느낌을 선사하는 제품으로 많은 사랑을 받고 있습니다.

시트러스(Citrus) 계열

시트러스(Citrus) 계열은 향수 중에서 상쾌하고 활기찬 시트러스 과일의 향기를 기반으로 하는 계열입니다. 이 계열은 레몬, 오렌지, 그레이프프루트 등 다양한 시트러스 과일의 향기를 활용하여 경쾌하고 상쾌한 분위기를 연출합니다.

레몬(Lemon): 레몬은 시트러스 계열에서 가장 대표적이고 인기 있는 향기입니다. 신선하고 활기찬 레몬 향기는 시트러스 계열 향수에서 많이 사용되며, 상쾌하고 경쾌한 분위기를 연출합니다.

오렌지(Orange): 오렌지 역시 시트러스 계열에서 매우 인기 있는 향기입니다. 오렌지의 달콤하고 상큼한 향기는 피로를 풀어주고 기분을 상쾌하게 만들어줍니다.

그레이프프루트(Grapefruit): 그레이프프루트는 산뜻하고 신선한 시트러스 향기를 가지고 있습니다. 시트러스 계열 향수에서는 자주 사용되며, 상쾌하고 활기찬 분위기를 만들어줍니다.

라임(Lime): 라임은 레몬과 유사한 시트러스 과일로, 상쾌하면서도 약간의 신맛과 신선한 느낌을 주는 향기를 가지고 있습니다. 시트러스 계열 향수에서는 활기찬 분위기를 연출하는 데 많이 사용됩니다.

버그못(Bergamot): 버그못은 시트러스 계열에서 많이 사용되는 향료 중 하나로, 상쾌하면서도 조금은 신비로운 향기를 가지고 있습니다. 버그못은 향수에 톡 쏘는 듯한 밝은 향을 더해줍니다

이 외에도 시트러스 계열 향수에는 탄자린(Tangerine), 마이그레인(Mygrain), 네롤리(Neroli) 등 다양한 시트러스 과일과 향료의 향기가 사용됩니다. 각각의 향기는 개성과 특징을 가지고 있어 다양한 선택지를 제공합니다.

시트러스 계열의 향수의 예시

크리드 - 아벤투스 (Creed - Aventus): 과일과 시트러스 계열의 상쾌한 향기가 조화롭게 어우러진 향수입니다. 세련된 남성들 사이에서 매우 인기가 있으며, 오렌지와 레몬의 시트러스 향이 돋보입니다.

조 말론 로튼 애플 & 라임 (Jo Malone - Rotten Apple & Lime): 상쾌한 라임과 그레이프프루트의 향기가 느껴지는 시트러스 계열 향수입니다. 여성들에게 인기가 많으며, 경쾌한 분위기를 연출해줍니다.

에르메스 어렌 (Hermes - Eau d'Orange Verte): 오렌지와 레몬의 시트러스 향이 도는 향수로, 신선하고 상쾌한 분위기를 만들어 줍니다. 남녀 모두에게 적합한 제품입니다.

디올 호미스포트 (Dior - Homme Sport): 시트러스와 우디 계열의 향기가 조화로운 남성용 향수로, 상쾌하면서도 세련된 분위기를 연출해줍니다. 레몬과 그레이프프루트의 시트러스 향이 돋보입니다.

조 말론 블랙베리 & 베이 (Jo Malone - Blackberry & Bay): 블랙베리와 그레이프프루트의 조화로운 시트러스 향기를 가진 여성용 향수입니다. 상쾌하면서도 고급스러운 분위기를 연출해줍니다.

시프레(Chypre) 계열

지중해의 시프러스 섬으로부터 유래된 시프레 계열은 고유하고 매혹적인 향기를 가지며, 자연의 아름다움과 지중해 지역의 특징을 담고 있습니다. 이 계열은 다양한 향료의 조합으로 구성되며, 그 중에서도 몇 가지 주요한 노트와 원료들이 특징적으로 사용됩니다.

오크모스(Moss): 오크모스는 시프레 계열 향수에서 가장 중요하고 특징적인 노트입니다. 이 노트는 이끼에서 추출되며, 푸른 숲과 푸른 바다의 상쾌하고 신선한 향기를 상징합니다. 오크모스는 향수에 깊이와 풍부함을 더해줄 뿐만 아니라, 그린(Green)과 워머(Woody) 노트들과의 조화를 이루어 시프레 계열의 특징적인 분위기를 형성합니다.

라보네(Labdanum): 라보네는 시프레 계열에서 또 다른 중요한 노트로 사용됩니다. 이 노트는 지중해 지역의 지형이 풍부한 황량한 풍경에서 자라는 식물에서 추출됩니다. 라보네는 상쾌한, 톡 쏘는 듯한 향기를 가지고 있어 시프레 계열의 향수에 균형과 따뜻함을 더해줍니다. 이는 사람들에게 고독함과 열정을 떠올리게 하며, 향수에 독특한 매력을 부여합니다.

시더우드(Cedarwood): 시더우드는 나무의 향기를 대표하는 원료 중 하나로, 시프레 계열 향수에서 주로 사용됩니다. 이 원료는 시더 트리에서 추출되며, 매우 특유하고 감각적인 향기를 가지고 있습니다. 시더우드는 향수에 깊이와 영감을 더해주며, 자연과의 조화와 고요한 분위기를 표현하는 데에 도움을 줍니다.

시프레 계열의 향수는 이러한 주요 노트들과 다른 향료들의 조합으로 구성되며, 지중해 지역의 자연적인 아름다움과 분위기를 담아냅니다. 이 계열의 향수는 신선하면서도 세련된 분위기를 연출하며, 고급스러움과 우아함을 표현하는 데에 적합합니다.

시프레 계열의 향수의 예시

미스 디올 (Miss Dior) - 디올(Dior)의 대표적인 향수 중 하나로, 신선한 시트러스 노트와 오크모스, 시더우드, 라보네 등의 노트가 조화롭게 어우러져 나뭇잎이 축축하면서도 그을은 듯한 향기를 표현합니다. 성숙하고 우아한 분위기를 연출하며, 여성적인 매력과 고급스러움을 표현하는 데 도움을 줍니다.

샤넬 알뤼르 오므 (Chanel Allure Homme) - 샤넬의 인기 있는 남성용 향수로, 신선한 시트러스와 플로럴 노트, 오크모스, 시더우드 등의 노트가 조화롭게 어우러져 시크하고 세련된 분위기를 연출합니다. 남성적인 매력과 고급스러움을 강조하는 향수로 알려져 있습니다.

게릴라 햄프 (Guerlain L'Homme Idéal) - 게릴라(Guerlain)의 인기 있는 남성용 향수로, 신선한 시트러스와 버가못, 패츌리, 시더우드 등의 노트가 조화롭게 어우러져 자연과의 조화를 표현합니다. 남성적이면서도 세련된 분위기를 연출하며, 독특한 매력과 향기를 제공합니다.

피너무르 트리템트 (Penhaligon's Tralala) - 피너무르(Penhaligon's)의 독특하고 특별한 여성용 향수로, 과일과 꽃의 노트, 오크모스, 라보네 등의 노트가 조화롭게 어우러져 풍부하고 화려한 향기를 표현합니다. 우아하고 아름다운 분위기를 연출하며, 독특한 매력과 향기를 갖고 있습니다.

푸제르(Fougere) 계열

푸제르 계열은 숲의 신선하고 깊이 있는 향기를 대표하는 계열 중 하나입니다. 이 계열은 주로 신선한 시트러스 노트와 우디(Woody) 노트, 톤카빈(Tonka Bean), 이끼(Moss) 등의 향료를 사용하여 자연의 신선하고 풍부한 향기를 재현합니다. 푸제르 계열의 향수는 신선하면서도 깊이 있는 매력을 가지고 있으며, 자연과의 조화와 우아함을 표현하는 데에 적합합니다.

시트러스(Citrus) 노트: 푸제르 계열의 향수에서는 신선한 시트러스 노트가 많이 사용됩니다. 레몬, 베르가못, 그레이프프루트 등의 시트러스 향료는 향수에 활기와 상쾌함을 더해주며, 청량감과 밝은 분위기를 표현합니다.

우디(Woody) 노트: 푸제르 계열에서는 주로 시더우드(Cedarwood), 샌달우드(Sandalwood), 패츌리(Patchouli) 등의 우디 노트가 사용됩니다. 이러한 우디 노트는 향수에 깊이와 풍부함을 더해주며, 숲의 신선하고 자연스러운 향기를 전달합니다.

톤카빈(Tonka Bean) 노트: 톤카빈은 푸제르 계열에서 흔히 사용되는 노트 중 하나입니다. 달콤하고 톡 쏘는 듯한 향기를 가지며, 향수에 풍부한 깊이와 밀도를 더해줍니다. 톤카빈은 푸제르 계열의 특징적인 분위기를 형성하는 데에 큰 역할을 합니다.

이끼(Moss) 노트: 이끼는 푸제르 계열에서 자주 사용되는 노트 중 하나로, 숲의 신선하고 깊이 있는 향기를 대표합니다. 이끼는 향수에 신선하면서도 더운 향기를 부여하며, 자연의 아름다움과 우아함을 연상시킵니다.

푸제르 계열의 향수는 숲의 신선하고 깊이 있는 향기를 표현하여 자연과의 조화와 우아함을 전달합니다. 이러한 향수는 일상적인 분위기에서도 사용할 수 있으며, 신선하고 편안한 분위기를 연출하는 데에 적합합니다.

푸제르 계열의 향수의 예시

디올 오 쥬 이끌림(Dior Oud Ispahan): 이 향수는 시트러스 노트, 로즈(Rose), 오드 우드(Oud Wood), 톤카빈 등을 조화롭게 섞어 푸제르 계열의 특징을 잘 나타냅니다. 향기는 신선하면서도 깊이 있고 우아하며, 오드 우드의 풍부한 향기가 돋보입니다.

크리드 어벤투스(Creed Aventus): 이 향수는 시트러스 노트, 청량한 파인애플(Pineapple), 톤카빈, 백단(Blackcurrant), 머스크(Musk) 등을 조합하여 푸제르 계열의 향기를 형상화합니다. 상쾌하면서도 풍부한 향기로, 매력적인 매니시한 분위기를 연출할 수 있습니다.

라인트 산타루스(L'Artisan Parfumeur Santal Blanc): 이 향수는 시더우드, 샌달우드, 바닐라(Vanilla) 등의 우디 노트와 시트러스 노트를 조합하여 푸제르 계열의 매력을 전달합니다. 숲의 향기와 부드러운 우아함이 어우러진 향수로, 차분하면서도 풍부한 분위기를 연출할 수 있습니다.

아테스 아르메니아 라 씨그네스(Atelier Cologne Cedre Atlas): 이 향수는 시더우드, 톤카빈, 플로럴(Floral) 노트 등을 조합하여 푸제르 계열의 신선하고 깊이 있는 향기를 표현합니다. 신선하면서도 우아하고 세련된 분위기를 연출할 수 있는 향수입니다.

오리엔탈(Oriental) 계열

오리엔탈 계열은 동양의 신비롭고 에로틱한 이미지를 표현하는 향기 계열 중 하나입니다. 이 계열은 동양 문화와 전통에서 영감을 받아 특유의 풍부하고 감각적인 향기를 재현합니다. 오리엔탈 계열의 향수는 보통 풍부한 스파이스(Spice) 노트, 달콤하고 풍부한 바닐라(Vanilla) 노트, 동양 향료인 앰버(Amber) 등을 사용하여 독특하고 매혹적인 분위기를 조성합니다.

스파이스(Spice) 노트: 오리엔탈 계열의 향수에서는 풍부한 스파이스 노트가 많이 사용됩니다. 예를 들어, 상큼하고 따뜻한 생강(Ginger), 향신료인 시나몬(Cinnamon), 플로럴한 카르다몬(Cardamom) 등이 주로 사용됩니다. 이러한 스파이스 노트는 향수에 독특하고 성감적인 향기를 더해줍니다.

바닐라(Vanilla) 노트: 바닐라는 오리엔탈 계열에서 가장 흔히 사용되는 노트 중 하나입니다. 달콤하고 풍부한 바닐라 향기는 향수에 성감적이고 매혹적인 분위기를 부여합니다. 바닐라는 오리엔탈 계열의 향수에서 중요한 역할을 합니다.

앰버(Amber) 노트: 앰버는 오리엔탈 계열에서 자주 사용되는 향료 중 하나입니다. 앰버는 동양의 고대적인 향기로, 향수에 깊이와 성감적인 매력을 더해줍니다. 풍부하고 따뜻한 앰버 노트는 오리엔탈 계열의 향수에서 특징적인 분위기를 형성하는 데에 중요한 역할을 합니다.

오리엔탈 계열의 향수는 동양의 신비롭고 에로틱한 이미지를 표현하여 매혹적이고 감각적인 분위기를 연출합니다. 이러한 향수는 특별한 자리나 저녁 약속 등 특별한 순간에 어울리며, 독특하고 매혹적인 향기를 즐기고자 할 때 좋은 선택입니다.

오리엔탈 계열의 향수의 예시

구찌 블룸(Gucci Bloom): 이 향수는 오리엔탈 계열의 향기를 풍부하게 표현하고 있습니다. 플로럴(Floral) 노트와 히브리디카(Hedychium)가 주로 사용되어 독특하고 매혹적인 분위기를 연출합니다. 섬세하면서도 성감적인 향기로, 여성적이고 우아한 분위기를 표현할 수 있습니다.

톰 포드 블랙 오키드(Tom Ford Black Orchid): 이 향수는 오리엔탈 계열의 특징적인 향기를 강조한 제품입니다. 흑색 난초(Black Orchid)와 풍부한 스파이스(Spice) 노트, 우디(Woody) 노트 등이 조화롭게 블렌딩되어 독특하고 성감적인 분위기를 형성합니다.

이브 생 로랑 라이브린트(Le Vestiaire des Parfums Oriental Collection): 이 향수 라인은 오리엔탈 계열의 다양한 향기를 제공합니다. 그중에서도 "Tuxedo"와 "Saharienne" 등의 향기는 오리엔탈 계열의 특징을 잘 나타내며, 성감적이고 독특한 분위기를 연출할 수 있습니다.

샤넬 알뤼르(Arôme Sensuel): 이 향수는 오리엔탈 계열의 향기를 상징하는 제품 중 하나입니다. 신선하고 풍부한 스파이스 노트와 바닐라, 앰버 등이 조화롭게 어우러져 동양적인 매력과 성감적인 분위기를 표현합니다.

향수 제작과 사용에 대한 팁과 노하우

시향지 사용

조향사가 시향지를 사용하는 이유와 방법은 다음과 같습니다.

1. 다양한 향을 구분하기 위해: 시향지는 다양한 향을 구분하는데 도움을 줍니다. 조향사는 시향지를 이용하여 향을 맡고, 그향의 특징을 기록합니다. 이를 통해 향의 종류와 특징을 파악하고, 적절한 향료를 선택할 수 있습니다.

2. 향의 강도를 조절하기 위해: 시향지를 이용하여 향의 강도를 조절할 수 있습니다. 조향사는 시향지에 향료를 묻힌 후, 시간이 지남에 따라 향의 강도가 어떻게 변화하는지 관찰합니다. 이를 통해 향의 강도를 조절하고, 적절한 비율로 향료를 조합할 수 있습니다.

3. 향의 지속력을 확인하기 위해: 시향지를 이용하여 향의 지속력을 확인할 수 있습니다. 조향사는 시향지에 향료를 묻힌 후, 시간이 지남에 따라 향이 얼마나 지속되는지 관찰합니다. 이를 통해 향의 지속력을 확인하고, 적절한 비율로 향료를 조합할 수 있습니다.

시향지 사용 방법은 다음과 같습니다.

1. 시향지에 향료를 묻힙니다.

2. 시향지를 코에 가까이 대고 향을 맡습니다.

3. 시향지를 흔들거나, 시간이 지난 후 다시 맡아 향의 변화를 관찰합니다.

4. 향의 강도, 지속력 등을 기록합니다.

마이크로 튜브 사용

1. 정확한 향료 측정: 마이크로 튜브는 매우 작은 용량으로 향료를 측정할 수 있습니다. 조향사는 특정 향료의 정확한 양을 조절하고 조합하기 위해 마이크로 튜브를 사용합니다. 이를 통해 향료의 농도를 정밀하게 조절할 수 있고, 원하는 향수의 향기를 구성할 수 있습니다.

2. 실험과 개발의 용이성: 마이크로 튜브는 작고 휴대하기 쉬운 형태입니다. 이는 조향사가 실험과 개발 단계에서 여러 종류의 향료를 효율적으로 조합하고 평가할 수 있도록 도와줍니다. 작은 용기를 사용함으로써 조합 실험을 빠르게 수행하고 향료의 특성을 비교 분석할 수 있습니다.

3. 정확한 향기 평가: 마이크로 튜브는 향료를 담는 용기로서, 조향사는 이를 이용하여 향료의 향기를 정확하게 평가할 수 있습니다. 향료를 마이크로 튜브에 담아 냄새를 맡으면, 향료의 특성을 더욱 세밀하게 파악할 수 있습니다. 이를 통해 조향사는 향료의 특징과 성질을 더욱 정확하게 이해하고 원하는 향기를 조합할 수 있습니다.

향기의 객관적 표현

향수 제작 전 향기의 객관적인 표현을 알아야 하는 이유는 다음과 같습니다:

1. 향료 선택: 향수 제조사는 원하는 향수를 만들기 위해 특정한 향료를 선택해야 합니다. 객관적인 향기 표현은 향료의 특징과 향기 프로필을 이해하는 데 도움을 줍니다. 예를 들어, 상쾌한, 달콤한, 나무 향 등과 같은 향기 속성을 이해하면 그에 맞는 향료를 선택할 수 있습니다.

2. 향기 조합: 향수는 여러 가지 향료를 혼합하여 만들어지는데, 각 향료는 고유한 특징과 향기를 가지고 있습니다. 객관적인 향기 표현을 알면 향료 간의 조합을 더욱 효과적으로 할 수 있

습니다. 예를 들어, 상쾌한 시트러스 향과 따뜻한 바닐라 향을 조합하여 상쾌하면서도 부드러운 향수를 만들 수 있습니다.

3. 향수 품질 평가: 향수 제조사는 향수의 품질을 평가해야 합니다. 이는 향수가 원하는 향기와 일관성 있게 만들어졌는지, 각 향료가 올바른 비율로 조합되었는지 등을 평가하는 것을 의미합니다. 객관적인 향기 표현을 알면 향수의 품질을 정확하게 평가할 수 있습니다.

4. 소비자 이해: 객관적인 향기 표현은 소비자와의 의사소통을 원활하게 도와줍니다. 향수를 판매하거나 마케팅을 할 때, 소비자에게 어떤 향기를 전달하고자 하는지 정확하게 설명할 수 있어야 합니다. 객관적인 향기 표현은 소비자가 향수의 특징과 향기를 이해하고 선택하는 데 도움을 줍니다.

Aromatic(아로마틱): 향기가 좋은, 향기로운

Animalic(애니멀릭): 동물성 향기, 불쾌한 냄새가 나기도 하지만 풍부하고 따스한 분위기, Sexual한 느낌

Citrus(시트러스): 레몬, 오렌지, 자몽 등의 과일에서 나는 상큼한 향기

Floral(플로럴): 꽃에서 나는 향기

Fruity(프루티): 과일에서 나는 달콤한 향기

Woody(우디): 나무에서 나는 향기

Spicy(스파이시): 향신료에서 나는 매운 향기

Oriental(오리엔탈): 동양적인 향기, 바닐라, 우디, 스파이시 등의 향이 복합적으로 섞여 있음

Balsamic(발삼): 나무와 송진에서 나는 향기

Powdery(파우더리): 파우더나 비누에서 나는 부드러운 향기

Musky(머스키): 사향노루의 사향낭 안의 사향선을 건조해 얻은 분비물로 만드는 향

Chocolate(초콜릿): 초콜릿에서 나는 달콤한 향기

Herbaceous(허브): 허브에서 나는 향기

Earthy(얼씨): 흙에서 나는 듯한 향기

Grassy(그래시): 풀에서 나는 듯한 향기

Citrusy(시트러시): 레몬, 오렌지, 자몽 등의 과일에서 나는 상큼한 향기

Fresh(프레시): 신선하고 상쾌한 향기

Clean(클린): 깨끗하고 깔끔한 향기

Warm(웜): 따뜻하고 부드러운 향기

Cool(쿨): 시원하고 상쾌한 향기

Rich(리치): 풍부하고 진한 향기

Light(라이트): 가볍고 부드러운 향기

Strong(스트롱): 강하고 진한 향기

Weak(위크): 약하고 부드러운 향기

Sweet(스위트): 달콤하고 부드러운 향기

Bitter(비터): 쓰고 떫은 맛이 나는 향기

Dry(드라이): 건조하고 메마른 느낌의 향기

Mild(마일드): 부드럽고 순한 향기

Strong(스트롱): 강하고 진한 향기

Heavy(헤비): 무겁고 진한 향기

Fresh(프레시): 신선하고 상쾌한 향기

Complex(콤플렉스): 다양한 향이 복합적으로 섞여 있는 향기

Simple(심플): 단순하고 간단한 향기

Bright(브라이트): 밝고 경쾌한 향기

Dark(다크): 어둡고 무거운 향기

Elegant(엘레강트): 우아하고 고급스러운 향기

Simple(심플): 단순하고 간단한 향기

Sour(사워): 시고 떫은 맛이 나는 향기

Rich(리치): 풍부하고 진한 향기

Fresh(프레시): 신선하고 상쾌한 향기

Complex(콤플렉스): 다양한 향이 복합적으로 섞여 있는 향기

Simple(심플): 단순하고 간단한 향기

Bright(브라이트): 밝고 경쾌한 향기

Dark(다크): 어둡고 무거운 향기

Elegant(엘레강트): 우아하고 고급스러운 향기

향기의 주관적 표현

조향사가 향기의 주관적인 표현을 적어야 하는 이유는 다음과 같습니다:

1. 창의적인 향수 제작: 향수 제조는 예술적인 창의성을 요구하는 분야입니다. 향기의 주관적인 표현은 조향사에게 개인적인

감각과 창의력을 발휘할 수 있는 기회를 제공합니다. 조향사는 자신의 느낌과 감정을 주관적으로 표현하여 독특하고 개성 있는 향수를 만들 수 있습니다.

2. 감성적인 연결: 향수는 주로 감성적인 제품으로 간주됩니다. 주관적인 향기 표현은 소비자와의 감성적인 연결을 형성하는 데 중요한 역할을 합니다. 향기는 각자의 경험과 기억과 연관되어 소비자들에게 특별한 감정을 일으킬 수 있습니다. 주관적인 향기 표현을 통해 조향사는 소비자들과의 감성적인 연결을 형성하고, 향수를 통해 소비자들에게 특별한 경험과 감정을 전달할 수 있습니다.

3. 브랜드 아이덴티티 구축: 주관적인 향기 표현은 특정 브랜드의 아이덴티티를 구축하는 데 도움을 줍니다. 각 브랜드는 고유한 향기를 가지고 있으며, 이는 브랜드의 가치와 정체성을 반영합니다. 주관적인 향기 표현은 브랜드의 아이덴티티를 강화하고 소비자들에게 독특한 경험을 제공하는 데 도움을 줍니다.

4. 소비자와의 의사소통: 주관적인 향기 표현은 소비자와의 의사소통을 원활하게 도와줍니다. 조향사는 향수를 설명하고 소개할 때, 주관적인 향기 표현을 사용하여 소비자에게 향수의 특징과 분위기를 더욱 명확하게 전달할 수 있습니다. 이를 통해 소비자들은 자신과 공감할 수 있는 향기를 선택할 수 있습니다.

▶ Description

Note	Name	Description
Top	Lemon	
	Orange	
	Bergamot	
	Lime	
	Green tea	
	Bamboo	
	Mint	
	clove	

▶ Description

Note	Name	Description
Middle	Rose	
	Jasmine	
	Lily of the valley	
	Lilac	
	Hyacinth	
	Geranium	
	Gardenia	
	Peony	
	Magnolia	
	Peach	
	Water	

▶ Description

Note	Name	Description
Base	Musk	
	Sandalwood	
	Vetiver	
	Patchouli	
	Iris	
	Leather	
	Amber	
	Moss	
	Aldehydal	
	Vanilla	

향료 혼합 팁:

1. 작은 양으로 시작하기: 향료를 혼합할 때는 작

은 양으로 시작하는 것이 좋습니다. 너무 많은 양을 한 번에 혼합하면 원하는 향기를 찾기 어려울 수 있습니다. 작은 양으로 시작하여 조금씩 추가하고 향기를 평가해보세요.

2. 기록하기: 향료를 혼합할 때는 어떤 향료를 얼마나 사용했는지 정확히 기록하는 것이 중요합니다. 혼합한 향료의 비율과 양을 기록하여 나중에 원하는 조합을 재현할 수 있도록 합니다.

3. 시간을 주고 평가하기: 향료를 혼합한 후에는 시간을 주고 향기를 평가해야 합니다. 향료가 혼합된 후에는 향기가 변화할 수 있으므로 충분한 시간을 두고 향기의 변화를 관찰하고 평가해보세요.

4. 향료의 성질 고려하기: 향료를 혼합할 때는 각 향료의 성질을 고려해야 합니다. 일부 향료는 다른 향료와 잘 조합되지 않을 수 있으며, 일부 향료는 너무 강한 향기를 가지기 때문에 신중하게 사용해야 합니다.

5. 시향지를 활용하기: 향료를 혼합할 때는 시향지를 적극적으로 활용하세요. 작은 시향지에 향료를 혼합하여 향기를 평가하고 원하는 조합을 찾을 수 있습니다.

6. 실험과 경험을 통한 학습: 향료 혼합은 실험과 경험을 통해 더욱 능숙해질 수 있는 과정입니다. 다양한 향료를 조합하고 향기를 평가하며 경험을 쌓아가세요.

향료를 혼합할 때는 신중하게 접근하고 조심스럽게 진행해야 합니다. 작은 양으로 시작하고 기록을 남기며 시간을 주어 향기를 평가하고, 향료의 성질을 고려하며 시향지를 활용하는 것이 중요합니다. 또한, 실험과 경험을 통해 자신만의 독특한 향기를 창조해보세요.

▶ FORMULA

향 제목: 제작날짜:

예시(name)	1	2	name	1	2	3
아네모네(M)	3	2				
히야신스(M)	5					
핑크로즈(M)	5	3				
아이리스(L)	1	2				
비트(L)	1	1				
버가못(T)	2	2				
그린티(T)	3					
			TOTAL			

▶ FORMULA

향 제목: 제작날짜:

Note	Name	1	2	3	4	5	Total
TOTAL							

▶ FORMULA

향 제목: 제작날짜:

Note	Name	1	2	3	4	5	Total
TOTAL							

▶ FORMULA

향 제목: 제작날짜:

Note	Name	1	2	3	4	5	Total
TOTAL							

향수 제조의 기본 원칙

향수를 제조하는 과정은 다음과 같은 기본 원칙에 따라 진행됩니다:

1. 향료 혼합: 다양한 향료를 조합하여 원하는 향기를 창조합니다.

2. 용매 선택: 향료를 용해시킬 용매를 선택합니다. 일반적으로 알코올이 향수의 주요 용매로 사용됩니다.

3. 농도 조절: 향료와 용매의 적절한 농도를 조절하여 원하는 향수의 강도를 결정합니다.

4. 숙성: 혼합한 향료와 용매를 일정 기간 동안 숙성시킵니다. 이는 향료의 특성을 더욱 향상시키고 향수의 향기를 안정화시키는 역할을 합니다.

향수 제조 과정

1. 향료 혼합: 원하는 향기를 얻기 위해 다양한 향료를 조합합니다. 작은 용기나 시향지를 사용하여 향료를 혼합하고, 작은 양으로 시작하여 조금씩 추가하며 향기를 평가합니다.

2. 용매 추가: 향료를 용해시킬 용매를 선택하고 향료와 용매를 혼합합니다. 일반적으로 알코올이 향수의 주요 용매로 사용됩니다. 향료와 용매의 적절한 비율로 혼합합니다.

3. 농도 조절: 혼합한 향료와 용매의 농도를 조절하여 원하는 향수의 강도를 결정합니다. 강한 향수를 원한다면 향료의 농도를 높이고, 가벼운 향수를 원한다면 향료의 농도를 낮춥니다.

4. 숙성: 혼합한 향료와 용매를 일정 기간 동안 숙성시킵니다. 이는 향료의 특성을 더욱 향상시키고 향수의 향기를 안정화시키는 역할을 합니다. 숙성 기간은 몇 주에서 몇 개월까지 다를 수 있으며, 향수의 종류와 목적에 따라 달라집니다.

5. 여과 및 채집: 숙성이 완료된 향수를 여과하여 불순물을 제거합니다. 그 후 적절한 용기에 담아 향수를 채집합니다.

6. 향수 보관: 제조된 향수는 적절한 온도와 습도 조건에서 보관되어야 합니다. 직사광선이 닿지 않는 서늘하고 어두운 장소에 보관하여 향수의 품질을 유지합니다.

향수 제조 과정은 향료 혼합, 용매 추가, 농도 조절, 숙성, 여과 및 채집, 그리고 향수 보관 단계로 구성됩니다. 이러한 단계를 정확히 따라가며 신중하게 제조하면 원하는 향수를 만들어낼 수 있습니다. 향수 제조는 예술과 과학의 조화이며, 자신만의 독특한 향수를 창조하는 과정에서 창의성을 발휘해보세요.

향수의 사용 방법과 팁

향수를 어떻게 사용해야 할까요?

향수를 사용할 때는 손목 안쪽보다는 바깥쪽에 뿌리는 것이 좋습니다. 이는 온도와 마찰로 인해 향수의 향기가 더 오래 지속될 수 있기 때문입니다. 또한, 피지 분비가 적은 손목 바깥쪽이나 팔꿈치에 향수를 뿌려주세요.

얼마나 향수를 뿌려야 할까요?

향수를 뿌릴 때는 최대한 많은 면적으로 향이 분산되도록 해야 합니다. 향수를 공중에서 분사하여 최대한 떨어뜨려 뿌리고, 은은하게 뿌리는 것이 좋습니다. 지나치게 강하게 향수를 뿌리면 향기가 지나치게 집중되어 향수의 매력이 떨어질 수 있습니다.

향수 사용 노하우

자켓 아랫단이나 스커트 끝에 뿌려보세요.

향수는 아래에서 위로 올라오는 특성이 있으므로, 자켓의 아랫단이나 스커트의 바닥부분에 향수를 뿌리면 걸을 때마다 향기가 퍼져나갈 것입니다.

소품에 향수를 뿌려보세요.

피부에 직접 향수를 뿌리는 것보다는 소품에 향수를 뿌려 사용하는 것도 좋은 방법입니다. 예를 들어 머플러나 스카프에 향수를 뿌려주면 향기가 오래 유지될 것입니다.

헤어 브러시에 향수를 뿌려머리를 빗어보세요.

향수를 머리카락에서 향기를 원한다면 헤어 브러시에 향수를 뿌린 후 약간의 시간을 두고 머리를 빗어주세요. 이렇게 하면 머리카락에 향기가 스며들어 향수의 향기를 더욱 오래 즐길 수 있습니다.

향수 레이어드를 시도해보세요.

비슷한 느낌의 다른 향수를 레이어드하여 사용해보세요. 예를 들어, 스커트에는 사랑스러운 파우더리한 향수를 뿌리고, 머플러에는 매력적인 머스크 향수를 뿌려보세요. 이렇게 하면 향수의 조합으로 독특하고 매력적인 향기를 연출할 수 있습니다.

04
향기, 일상에 특별함을 더하다

4.1 향기로 나만의 스타일을 표현하자

나만의 향기가 필요한 이유

향기는 개인의 감성과 스타일을 대변하는 독특한 수단이 됩니다. 특히나 향기는 강력한 감각적 연결을 만들어, 찰나의 순간부터 오랜 시간까지 우리를 정의하는 요소가 될 수 있습니다. 또한, 향기는 "이런 향을 맡으면 네가 떠올라!"와 같이 특정 인물이나 사건을 떠올리게 하는 강력한 기억의 트리거가 될 수 있습니다. 따라서, 나만의 향기를 찾아 표현하는 것은 개인의 아이덴티티를 강화하고, 자신만의 독특한 브랜드를 만드는 데 중요한 역할을 합니다.

나만의 향기 찾기

나만의 향기를 찾는 것은 개인의 취향과 성향을 깊이 이해하는 과정입니다. 이는 향수의 다양한 계열(플로럴, 우디, 프루티, 스파이시 등)을 탐색하고, 각각이 자신에게 어떤 느낌과 연결을 주는지를 이해하는 것을 포함합니다. 이 과정에서는 여러 가지 향수를 체험하고, 그 중에서 자신이 가장 좋아하고, 자신의 개성과 가장 잘 어울리는 향수를 찾는 것이 중요합니다.

나만의 향기 표현하기

나만의 향기를 찾은 후에는, 그 향기를 어떻게 표현하고 활용할 것인지에 대해 고민해야 합니다. 이는 어떤 상황에서 어떤 향수를 사용할 것인지, 어떤 옷과 어떤 향수를 매치할 것인지 등을 결정하는 것을 포함합니다

1. 향기로 매치하는 옷과 향수

- 로맨틱한 데이트: 로맨틱한 데이트에는 플로럴 계열의 향수를 선택하여 여성스러움과 우아함을 표현할 수 있습니다. 이와 어울리는 옷은 여성스러운 드레스나 스커트, 플로럴 패턴의 상의 등이 있습니다.

- 시원한 여름 날: 시원한 여름에는 시트러스 계열의 상큼한 향수를 선택하여 경쾌하고 상쾌한 느낌을 줄 수 있습니다. 이와 어울리는 옷은 밝은 컬러의 캐주얼한 의상, 쇼츠나 원피스 등이 있습니다.

- 고급스러운 행사: 고급스러운 행사에는 오리엔탈 계열의 향수

를 선택하여 세련되고 고급스러운 분위기를 연출할 수 있습니다. 이와 어울리는 옷은 클래식한 슈트나 턱시도, 우아한 드레스 등이 있습니다.

2. 향기로 상황을 연출하는 방법

- 향기로 가득한 공간 조성: 나만의 향기를 표현하기 위해 주거 공간이나 작업 공간 등을 향기로 가득한 공간으로 꾸밀 수 있습니다. 향기 있는 촛불이나 디퓨저를 사용하거나, 향기로운 식물이나 꽃을 배치하여 향기로운 분위기를 조성할 수 있습니다.

- 향기로 습관 형성: 향기를 활용하여 나만의 습관을 형성할 수 있습니다. 예를 들어, 잠들기 전에 향기로운 캔들을 피우거나 향기로운 차를 마시는 등의 행동을 통해 마음을 안정시키고 휴식을 즐길 수 있습니다.

- 향기로 소통하기: 향기는 사람들과의 소통에도 활용될 수 있습니다. 특정 향기를 선택하여 자신을 표현하거나, 특정 상황에서 향기를 통해 감정을 전달할 수 있습니다. 예를 들어, 특별한 만남이나 선물로 상대방에게 선물하는 향수를 통해 감사의 마음이나 사랑을 표현할 수 있습니다.

4.2 향기로 일상에 활력을 불어넣자

향기로운 공간 조성

향기로운 캔들, 디퓨저, 방향제 등을 활용하여 공간에 상쾌하고 활기찬 향기를 뿌려보세요. 특정한 향기는 공간의 분위기를 변화시켜 일상에 활력을 불어넣어 줄 수 있습니다.

1. 향기로운 캔들과 디퓨저 활용법:

- 향기로운 캔들: 플로럴(꽃 향기), 우디(나무 향기), 시트러스(과일 향기) 등 다양한 향기의 캔들을 선택하여 공간에 배치해보세요. 예를 들어, 욕실에서는 플로럴 향기로 편안한 분위기를 조성하고, 거실에서는 시트러스 향기로 상쾌한 분위기를 연출할 수 있습니다.

- 향기로운 디퓨저: 로즈마리, 라벤더, 유칼립투스 등의 향기로운 에센셜 오일을 사용하는 디퓨저를 활용해보세요. 예를 들어, 휴식 공간에는 라벤더 향기로 편안함을 더할 수 있고, 작업 공간에는 로즈마리 향기로 집중력을 높일 수 있습니다.

2. 방향제와 방향스프레이 활용법:

- 방향제: 자동차나 옷장에 방향제를 사용하여 불쾌한 냄새를 제거하고 향기를 뿌려보세요. 예를 들어, 자동차용 방향제로는 시트러스나 오션 향기를 선택하여 상쾌함을 느낄 수 있고, 옷장용 방향제로는 플로럴이나 우디 향기를 선택하여 공간을 화사하게 만들 수 있습니다.

- 방향스프레이: 방향스프레이를 사용하여 공간 전체에 향기를 뿌려보세요. 예를 들어, 거실에는 청량한 그린 애플 향기를 뿌려 상큼함을 느낄 수 있고, 침실에는 편안한 베르가못 향기를 뿌려 휴식을 취할 수 있습니다.

향기로운 자신의 몸과 피부 관리

향기로운 샤워 제품, 바디로션, 향수 등을 사용하여 자신의 몸과 피부를 관리해보세요. 향기로운 제품을 사용하면 일상적인 몸 관리 과정에서도 향기의 즐거움을 느낄 수 있습니다.

1. 향기로운 샤워 제품과 바디로션:

- 향기로운 샤워 젤: 로즈, 자스민, 라벤더 등의 향기로운 샤워 젤을 선택해보세요. 샤워 시 향기로 향기로운 향기를 맡을 수

있으며, 피부를 부드럽게 관리할 수 있습니다.

- 향기로운 바디로션: 바디로션에는 바닐라, 코코넛, 그린티 등의 향기를 선택해보세요. 샤워 후 피부에 바르면 향기로운 향기가 오래 유지되며, 보습과 관리 효과를 동시에 얻을 수 있습니다.

2. 향기로운 향수 사용법:

- 일상용 향수: 자신의 취향에 맞는 일상용 향수를 선택해보세요. 플로럴, 시트러스, 우디 등 다양한 향기 중에서 자신에게 어울리는 것을 골라 사용해보세요. 향수를 발라주는 위치는 목, 손목, 팔뚝 등이며, 적절한 양을 사용하여 향기를 퍼뜨리세요.

- 특별한 자리용 향수: 특별한 자리나 행사에 사용할 향수를 선택해보세요. 예를 들어, 로맨틱한 데이트나 중요한 모임에는 우아하고 향기로운 향수를 선택하여 자신의 매력을 더해보세요.

3. 향기로운 휴식 시간:

- 향기로운 목욕 솔트: 목욕 시 향기로운 목욕 솔트를 사용해보세요. 향기로운 향기와 함께 몸을 휴식시키고 피로를 풀어줄 수 있습니다.

- 향기로운 헤어 마스크: 향기로운 헤어 마스크를 사용하여 헤어 관리를 해보세요. 향기로운 헤어 마스크를 사용하면 향기와 함께 머리카락을 보호하고 가꿔줄 수 있습니다.

향기로운 음식과 음료

향기로운 허브, 스파이스, 과일 등을 사용하여 음식과 음료를 조리해보세요. 상쾌하고 향긋한 맛과 향기는 일상의 식사 시간을 특별하게 만들어 줄 수 있습니다.

1. 향기로운 허브와 스파이스 조리법

- 로즈마리 로스티드 포테이토: 신선한 로즈마리를 사용하여 구워낸 포테이토로 향긋한 허브 향기를 느껴보세요.

- 바질 페스토 파스타: 신선한 바질과 갓 갈아낸 올리브 오일, 파마산 치즈 등을 사용하여 향기로운 페스토 파스타를 조리해보세요.

2. 향기로운 과일과 음료 조합

- 자몽과 민트 샐러드: 상큼한 자몽과 신선한 민트를 조합하여 향기로운 샐러드를 만들어보세요. 시트러스와 허브 향기가 조화로운 맛을 느낄 수 있습니다.

- 레몬 그라스 아이스 티: 상쾌한 레몬 그라스와 차가운 아이스 티를 조합하여 향기로운 음료를 즐겨보세요. 시원한 맛과 상큼한 향기가 어우러진 음료입니다.

3. 향기로운 스파이스와 향신료 요리

- 카레 커리: 향기로운 카레 향과 다양한 스파이스를 사용하여 풍부한 맛과 향기를 느낄 수 있는 카레 커리를 조리해보세요.

- 시나몬 애플 크럼블: 시나몬과 사과를 사용하여 구워낸 크럼블 디저트로 향긋한 향기와 달콤한 맛을 즐겨보세요.

향기로운 휴식 시간

향기로운 차나 허브 티를 마시며 휴식을 취해보세요. 차를 마시는 동안 향기를 맡으면 마음이 편안해지고 일상의 스트레스를 해소할 수 있습니다.

- 라벤더 카모마일 티: 상쾌한 라벤더와 편안한 카모마일을 혼합하여 향기로운 차를 내려보세요. 휴식 시간에 편안함을 더할 수 있습니다.

- 페퍼민트 그린 티: 상쾌한 페퍼민트와 신선한 그린 티를 조합하여 향기로운 차를 즐겨보세요. 청량하면서도 향기로운 맛을 느낄 수 있습니다.

향기로운 자연과 꽃

자연에서 나는 향기를 느끼기 위해 야외 활동을 즐겨보세요. 숲이나 정원으로 나가서 자연의 향기를 맡으면 일상에서의 활력을 얻을 수 있습니다. 또한, 향기로운 꽃을 키워서 집안에 배치해보세요. 꽃의 향기는 마음을 편안하게 만들어 줄 수 있습니다.

향기로운 습관 형성

향기로운 습관을 형성해보세요. 매일 아침, 향기로운 향수를 뿌리는 것이나, 향기로운 티를 마시는 것과 같은 작은 습관은 일상에 활력을 불어넣어 줄 수 있습니다.

4.3 향기, 그 다양한 활용법

액체 향수: 오 데 퍼퓸(50ml)

재료: 향 오일, 향수 베이스, 향수 병

향 오일: 8 ~ 15%

[제작과정]

1. 향료 블랜딩: 원하는 향수를 만들기 위해 향료들을 조합합니다.

2. 베이스 제조: 향료를 흡수하고 향수의 지속성을 높일 베이스를 만듭니다.

3. 향료와 베이스 혼합: 향료를 계량된 베이스에 천천히 섞어줍니다.

4. 숙성: 혼합한 향수를 소독된 용기에 넣고 일정 기간 동안 숙성시킵니다.

5. 사용: 숙성된 향수를 용기에서 꺼내 사용합니다.

고체 향수

재료: 베이스 오일(호호바 오일, 코코넛 오일 등), 식물성 왁스(카르나우바 왁스, 비즈 왁스 등), 향 오일, 산소화제(비타민 E)

향 오일: 10% 이내

[제작과정]

1. 베이스 오일과 식물성 왁스를 1:1 비율로 섞은 후, 저온에서 녹여줍니다. 이때 주의해야 할 점은 왁스가 완전히 녹을 때까지 저온을 유지해야 합니다.

2. 왁스와 베이스 오일이 완전히 섞이면, 향료를 조금씩 추가하여 원하는 향기를 조절합니다. 향료를 천천히 추가하고, 각각의 향료를 추가할 때마다 잘 섞어줍니다.

3. 향료가 완전히 혼합되면, 산소화제를 조금씩 추가하여 고체 향수의 향기를 안정화시킵니다. 산소화제는 고체 향수의 산화를 방지하고 오래 보존될 수 있도록 도와줍니다.

4. 혼합한 향수를 향수 용기나 스틱 컨테이너에 옮겨 담고, 식힌 후 밀봉합니다. 이렇게 만든 고체 향수는 사용할 때 필요한 양만 꺼내 사용하면 됩니다.

디퓨져

재료: 향 오일, 디퓨져 베이스, 디퓨져 스틱

향 오일: 20~30%

[제작과정]

1. 디퓨져 베이스와 향 오일을 원하는 비율로 혼합합니다. 향 오일의 양은 개인의 취향과 향기 강도에 따라 조절할 수 있습니다. 일반적으로 디퓨져 베이스에 향 오일을 20-30% 정도의 비율로 혼합합니다.

2. 혼합된 디퓨져 베이스와 향 오일을 깔끔한 유리병이나 병에 담습니다.

3. 디퓨져 스틱을 유리병에 넣고 향기가 퍼질 수 있도록 흡수시킵니다. 스틱은 디퓨져 베이스와 향 오일을 흡수하여 향기를 방출하는 역할을 합니다.

4. 향기를 퍼뜨리기 원하는 공간에 디퓨져를 배치합니다.

5. 디퓨져의 향기가 약해지면 스틱을 뒤집거나 교체하여 향기를 계속 유지시킬 수 있습니다. 일반적으로 주기적으로 스틱을 뒤집는 것이 좋습니다.

룸스프레이

재료: 향 오일, 룸 스프레이 베이스, 글리세린, 정제수

향 오일: 1~3%

[제작과정]

1. 스프레이 병을 준비합니다.

2. 베이스와 향 오일을 원하는 비율로 혼합합니다. 일반적으로 베이스에 향 오일을 1-3% 정도의 비율로 혼합합니다.

3. 글리세린을 사용한다면, 혼합된 용액에 약간의 글리세린을 추가합니다. 향기를 오래 유지시키는 역할을 합니다. 글리세린을 첨가할 때는 적절한 양을 사용하여 향기가 너무 짙지 않도록 조절해야 합니다.

4. 물을 천천히 추가하면서 잘 섞어줍니다. 물을 사용할 때는 신선하고 깨끗한 물을 사용하는 것이 좋습니다. 물을 첨가하면서 용량을 조절하고, 잘 섞어서 재료들을 혼합시킵니다.

5. 혼합된 룸 스프레이 용액을 스프레이 병에 옮겨 담고, 잘 봉인하여 보관합니다.

6. 사용할 때는 병을 흔들어 잘 섞은 후, 원하는 공간에 스프레이하여 향기를 즐깁니다.

바디미스트

재료: 향 오일, 로즈워터, 글리세린(선택), 정제수

향 오일: 2~3%

[제작과정]

1. 스프레이 병을 준비합니다.

2. 로즈워터를 스프레이 병에 담습니다. 병의 약 3/4 정도 채워주는 것이 적절합니다.

3. 향 오일을 원하는 양만큼 추가합니다. 일반적으로 2~3% 정도를 사용합니다.

4. 글리세린을 사용한다면, 약간의 글리세린을 추가하여 피부를 보호하고 촉촉함을 유지시킵니다. 약 1/2 티스푼 정도를 사용합니다.

5. 미스트에 정제수을 천천히 추가하면서 잘 섞어줍니다. 정제수를 첨가하면서 용량을 조절하고, 잘 섞어서 재료들을 혼합시킵니다.

7. 혼합된 바디 미스트 용액을 스프레이 병에 옮겨 담고, 잘 봉인하여 보관합니다.

8. 사용할 때는 병을 흔들어 잘 섞은 후, 몸에 스프레이하여 향기를 즐깁니다.

헤어미스트(100ml)

재료: 미네랄워터 또는 로즈워터, 실크 아미노산 4g, 엘라스틴 4g, 로즈마리 추출물 2g, 향 오일 1g, 정제수

향 오일: 1%

[제작과정]

1. 스프레이 병을 준비합니다.

2. 미네랄 워터 또는 로즈워터를 스프레이 병에 담습니다. 병의 약 3/4 정도 채워주는 것이 적절합니다. (약 75ml)

3. 실크 아미노산을 약간 추가합니다. 실크 아미노산은 머리카락을 부드럽고 윤기 있게 가꾸어주는 효과가 있습니다.

4. 엘라스틴을 약간 추가합니다. 엘라스틴은 머리카락을 탄력 있게 만들어줍니다.

5. 로즈마리 추출물을 약간 추가합니다. 로즈마리 추출물은 머리카락의 건강을 촉진하고 향기를 부여해줍니다.

6. 향 오일을 약간 추가합니다. 원하는 향기를 위해 향 오일을 선택하고, 1g 정도를 사용합니다.

7. 잘 봉인하여 보관합니다.

8. 사용할 때는 병을 흔들어 잘 섞은 후, 헤어에 스프레이하여 원하는 스타일링을 도와줍니다.

핸드크림

재료: 수상(로즈워터 60g), 유상(코코넛 오일 18g, 시어버터 5g, 올리브유화왁스 6g), 첨가물(바다포도 추출물 2g, 헥산디올 2g, 향 오일 3~4g

[제작과정]

1. 수상층과 유상층 계량:

   - 수상층과 유상층의 재료를 각각 비커에 계량합니다.

2. 핫플레이트 가열:

   - 핫플레이트를 사용하여 중탕하여 75도까지 가열합니다.

3. 유상층을 수상층에 부어주기:

   - 수상층에 유상층을 부어주고, 블렌더를 작동합니다.

4. 블렌딩:

   - 블렌더를 작동시키며 약 5분 이상 고루 유화시킵니다.

5. 냉각 및 첨가물 추가:

   - 약 40~50도 정도로 냉각시킨 후 첨가물을 넣어줍니다.

6. 최종 냉각 및 용기에 담기:

   - 약 20~30도까지 냉각시킵니다.

   - 깨끗이 소독한 용기에 핸드크림을 담아 사용합니다.

바디워시

재료: 정제수 75g, 글리세린 20g, 코코베타인 40g, 애플워시 50g, 헥산디올 4g

첨가물: 글루카메이트 8g, 향 오일 3~4g

[제작과정]

1. 비커에 재료를 계량합니다.

2. 계량된 재료를 핫플레이트에 올려 40~50도 정도로 가열합니다.

3. 글루카메이트를 계량하여 넣고 재료가 완전히 녹을 때까지 저어줍니다.

4. 향 오일을 넣고 잘 섞어줍니다.

5. 온도가 상온으로 떨어지면 제작된 바디워시를 용기에 담아 사용합니다.

에필로그:
향기로 더해지는 풍요로운 삶의 여정

우리의 삶은 향기로 가득 차 있습니다. 향기는 우리 감각을 자극하고, 기억을 불러일으키며, 감정을 표현하는 데 도움을 줍니다. 그래서 우리는 향기로 더해지는 풍요로운 삶의 여정을 떠납니다.

첫 번째 단계는 자신을 위한 시간을 가져주는 것입니다. 바쁜 일상에서 잠깐의 여유로움을 만들어내고, 몸과 마음을 휴식시키는 시간을 가지는 것은 균형과 안정을 찾는 첫 걸음입니다. 아로마 테라피를 통해 자연의 향기를 마음껏 느끼며, 마음의 안정과 평화를 찾을 수 있습니다.

두 번째 단계는 자신의 공간을 향기롭게 만드는 것입니다. 우리 주변은 우리의 에너지와 감정을 반영합니다. 향기로 가득한 환경을 조성하여 우리의 공간을 향기롭게 만들어줍시다. 아로마 디퓨저를 사용하거나, 향기로운 캔들을 플레이스하거나, 향기로 가득한 꽃을 테이블 위에 두는 등의 방법으로 우리의 공간을 아름답게 꾸밀 수 있습니다.

세 번째 단계는 향기로 치유하는 것입니다. 향기는 치유의 힘을 지니고 있습니다. 스트레스로 지친 마음을 진정시키고, 피로를 풀어주며, 우울한 기분을 밝혀줍니다. 로즈마리, 라벤더, 유칼립투스 등의 향기로 치유를 시도해보세요. 아로마 마사지나 아로마 스팀을 통해 향기로 치유하는 시간을 가져보세요.

마지막 단계는 향기로 인연을 깊게 만드는 것입니다. 우리는 향기를 통해 사람들과의 연결을 깊게 만들 수 있습니다. 자신의 향기를 표현하고, 특별한 사람과 공유하는 것은 소중한 경험이 될 것입니다. 향기로 가득한 선물을 주고받고, 함께 아로마 테라피를 즐기며, 서로를 위한 특별한 향기를 공유해보세요. 그리고 그 향기로 인해 우리의 연결이 한층 깊어질 것입니다.

이렇게 향기로 더해지는 풍요로운 삶의 여정을 시작해봅시다. 향기는 우리의 삶에 활력을 불어넣고, 행복과 만족을 선사해줄 것입니다. 자신을 위로하고, 공간을 아름답게 만들며, 사람들과의 인연을 깊게 만들어가는 이 여정에서 우리는 더욱 풍요로운 삶을 살아갈 것입니다. 향기로 가득한 풍요로운 여정을 즐기세요.